EXPRES

EXPRES

PROGRAMME D'EXERCICES PRESCRITS DES FORCES ARMÉES CANADIENNES

ÉDITIONS DU TRÉCARRÉ

Conception graphique :
Dufour & fille Design

Maquette :
Joanne Lapointe

ISBN 2-89249-226-2

Dépôt légal — 1er trimestre 1988
Bibliothèque nationale du Québec

Imprimé au Canada

Éditions du Trécarré
Saint-Laurent (Québec) Canada

TABLE DES MATIÈRES

REMERCIEMENTS

Le programme EXPRES présenté dans ce guide forma d'abord une série de brochures à l'usage des Forces armées canadiennes. PARTICIPaction, organisme privé, sans but lucratif, voué à la promotion de la bonne forme et de la santé au Canada, en assura la conception, la réalisation et la production. L'ensemble a été supervisé par le directeur de l'éducation physique et des loisirs des Forces armées canadiennes, le lieutenant-colonel R.D. Swan, m.e.p . C'est grâce à cette précieuse collaboration que le programme EXPRES est maintenant offert au grand public.

Les organismes et les collaborateurs qui suivent ont participé à la mise au point du programme EXPRES.

Forces armées canadiennes

Coordinateur du projet:	Major Wayne Lee, m.sc.
Collaborateurs:	Major Earle Morris, b.sc. Le personnel de l'éducation physique et des loisirs des Forces canadiennes

PARTICIPaction

Coordinateur du projet: François Lagarde, m.a.

Collaborateurs techniques:

Guy Thibault, ph.d.
Conseiller en physiologie de l'exercice
Québec
Programmes aérobiques

Yvan D'Amours, m.sc.
Physiologiste de l'activité physique
Québec
Prévention des blessures

Gordon W. Stewart, m.sc.
Conseiller en conditionnement physique
Victoria (Colombie-britannique)
Souplesse, force et endurance
musculaire

Barbara Davis, m.sc.
Conseillère en nutrition
PARTICIPaction

Brian Cook, b.sc.
Conseiller en conditionnement physique
Burlington (Ontario)
Force et endurance musculaire

Illustrations Michael Fog

Ce guide ne constitue qu'une partie du programme EXPRES des Forces armées canadiennes; nos remerciements s'adressent aux créateurs de cet ouvrage, d'une façon particulière. D'autres conseillers militaires ou civils, trop nombreux pour que nous puissions les nommer tous, ont apporté leur collaboration au programme complet, principalement dans sa phase initiale. Les Forces armées canadiennes et PARTICIPaction remercient particulièrement le LCdr M. Shannon, m.d., de la Direction générale du service de santé des Forces canadiennes, et le capitaine A. Kimick, m.sc., de la Direction de l'éducation physique et des loisirs.

INTRODUCTION

Vous souvenez-vous des programmes 5BX et 10BX? Mis au point pour l'Aviation royale canadienne, ces programmes sont devenus de véritables best-sellers lorsqu'ils ont été présentés au grand public, durant les années 60. Des centaines de milliers d'exemplaires furent vendus; et ils sont toujours en demande, ce qui démontre la qualité universelle et durable de ces programmes.

Ce volume-ci est le successeur des programmes 5BX et 10BX. Il décrit le nouveau programme de conditionnement physique des Forces armées canadiennes: le programme EXPRES, élaboré par PARTICIPaction et par la Direction de l'éducation physique et des loisirs des Forces armées canadiennes. Il doit son nom au fait qu'il réunit les «EXercices PRESCrits» aux militaires canadiens. Il convient tout autant à la vie civile, et propose une gamme complète d'exercices, à la portée de tous, faciles à comprendre et à suivre. Il offre plusieurs avantages:

• Le programme EXPRES convient à *votre* condition physique actuelle. Ses exercices sont adaptés à votre condition physique; il vous indique comment évaluer votre forme physique et choisir les exercices appropriés.

• Le programme EXPRES propose un éventail de neuf activités physiques, d'intérieur ou de plein air; et quatre types d'exercices de force et d'endurance musculaire. Il offre la possibilité d'établir un programme qui convient à votre condition physique et correspond aussi à vos goûts personnels.

Qu'est-ce qui distingue le programme EXPRES?

Si vous pratiquez déjà une activité physique, il vous encouragera à persévérer, en variant votre programme. D'un autre côté, si la majorité des gens connaissent les bienfaits de l'activité physique, la plupart hésitent à entreprendre ou à poursuivre un programme de conditionnement physique. Bien qu'ils sachent qu'ils en retireraient un bien-être certain, EXPRES s'adresse particulièrement à cette majorité en rendant l'exercice facile et agréable. Voici comment:

1. des exercices convenant à la condition physique de chacun — ces exercices ne sont jamais trop difficiles ni votre forme insuffisante;

2. neuf activités aérobiques différentes et quatre types d'exercices pour la force et l'endurance musculaire — vous adoptez ceux qui vous plaisent;

3. des descriptions rédigées par des experts en conditionnement physique — vous apprenez comment exécuter l'exercice et la durée de l'exercice;

4. un encouragement à choisir rapidement une activité et à commencer votre programme — EXPRES vous évite les longues explications;

5. la possibilité de vous entraîner sans installations ou équipement coûteux — de nombreux exercices praticables aussi bien à la maison qu'en voyage, ou variant selon les saisons (la bicyclette en été et le ski de fond en hiver, par exemple).

UN PROGRAMME COMPLET DE CONDITIONNEMENT PHYSIQUE

Le programme EXPRES vise la bonne forme totale. À ses neuf activités aérobiques, il joint des exercices d'assouplissement et un programme complet pour l'amélioration de la force et de l'endurance musculaire. Il réunit donc les trois éléments essentiels à la bonne forme.

a) Les exercices d'assouplissement

Les exercices d'assouplissement ou d'échauffement sont essentiels à la pratique de toute activité physique. Accompagnés d'une activité aérobique légère, ils échauffent et préparent l'organisme à l'entraînement aérobique ou musculaire. Ils aident à prévenir certains malaises ou même des blessures.

Après une activité physique, ces exercices contribuent à rétablir la fréquence cardiaque et à ramener la température du corps à son niveau normal.

Faits régulièrement, ces exercices complètent votre activité aérobique.

EXPRES vous recommande d'utiliser ceux qui figurent au chapitre 1.

b) Les activités aérobiques

La bonne forme repose principalement sur les activités aérobiques (cardio-vasculaires). L'exercice régulier améliore votre capacité aérobique, vous rend plus apte à accomplir vos tâches quotidiennes et développe l'énergie pour vos loisirs.

Le chapitre 2 propose neuf activités aérobiques convenant à tous les goûts et budgets, à tous les niveaux de condition physique, quels que soient l'équipement ou les installations dont vous disposez.

c) Les exercices de force et d'endurance musculaire

La force et l'endurance musculaire sont un élément important de la bonne forme totale. Pour vous entraîner de façon sûre, efficace et agréable, consultez le chapitre 3.

MODE D'EMPLOI DE VOTRE GUIDE

Pour bénéficier pleinement du programme EXPRES, suivez-le soigneusement. Voici comment.

1. **Lisez l'introduction** qui vous offre des renseignements généraux sur le programme et sur l'évaluation de votre condition physique.

2. **Remplissez le «Questionnaire sur l'aptitude à l'activité physique» (Q-AAP), page 14.** Vos réponses entraînent des recommandations dont vous devez tenir compte.

3. **Déterminez votre niveau de départ pour l'activité aérobique.**Voir les explications au début du chapitre 2.

4. **Choisissez votre activité aérobique.** Le programme EXPRES vous en propose 9, d'intérieur ou de plein air, selon la saison et convenant à tous les goûts. Chaque activité est décrite dans une présentation qui guide votre choix.

5. **Établissez votre niveau de départ pour l'entraînement musculaire.** Voir le début du chapitre 3.

6. **Choisissez votre programme de force et d'endurance musculaire.** Quatre programmes sont offerts, dont trois commandent différents types d'équipement, l'autre n'en exigeant aucun. L'équipement dont vous disposez dirigera votre choix.

7. **Commencez votre programme en respectant** les trois éléments fondamentaux de ce programme: a) échauffement et assouplissement (chapitre 1); b) activité aérobique (chapitre 2); et c) programme de musculation (chapitre 3).

N.B. Si vous ne pratiquiez aucune activité physique avant d'aborder EXPRES, exécutez les exercices d'assouplissement et une activité aérobique de niveau 1. Quelques semaines plus tard, vous ajouterez le programme musculaire «mains libres», en l'introduisant entre une activité aérobique et vos exercices d'assouplissement après l'exercice; ou en choisissant des jours différents.

Les exercices de force et d'endurance musculaire qui requièrent un équipement peuvent être pratiqués les mêmes jours que l'activité aérobique ou des jours différents, à votre choix.

8. Soyez raisonnable. Soyez aussi fidèle que possible à votre programme, mais n'en devenez pas l'esclave.

9. Prenez des notes. Utilisez les tableaux pour diriger votre entraînement et observer vos progrès éventuels.

10. Réévaluez votre programme après un premier cycle de 13 semaines. Il importe que vous complétiez le premier niveau de votre programme avant de réévaluer vos objectifs. Si tout va bien, passez au niveau suivant. Ou essayez une autre activité aérobique. Vous pouvez varier l'équipement de votre programme de musculation.

ÉVALUATION DE LA CONDITION PHYSIQUE

Évaluation de la condition physique

L'évaluation de la condition physique comprend une série de mesures simples. Elle mesure votre souplesse, votre condition cardio-vasculaire, votre force et votre endurance musculaire, ainsi que le pourcentage de graisse de votre organisme.

Quoique l'évaluation de la condition physique ne soit pas essentielle à la réalisation de votre programme, elle s'avère intéressante et utile. Elle vous montre vos points forts et vos points faibles, et aide à choisir un programme qui répondra le plus exactement à vos besoins. Effectuée avant d'entreprendre un programme et quelques mois après le début de votre activité, elle permet d'en mesurer les effets.

Divers organismes privés ou publics, des centres sportifs ou de loisirs, le YMCA et le YWCA, par exemple, des clubs de santé et certains services de santé communautaire effectuent l'évaluation de la condition physique.

Assurez-vous que votre évaluation sera faite par des personnes compétentes, de préférence un spécialiste qui a suivi le programme de certification et d'accréditation de l'Association canadienne des Sciences du sport (ACSS). Ces spécialistes utilisent une série de mesures portant le nom de Physitest normalisé. Les résultats du test servent à établir le niveau de départ de l'activité aérobique de votre choix et celui des exercices de force et d'endurance musculaire.

L'évaluation physique confiée à un spécialiste reconnu par l'ACSS offre un triple avantage: elle est faite avec soin, vous renseigne sur votre condition physique actuelle, et fixe le niveau où commencer votre programme EXPRES.

LE Q-AAP ET VOUS

Le Questionnaire sur l'aptitude à l'activité physique (Q-AAP)*

Le Q-AAP a pour but de vous aider. L'exercice a de nombreux avantages pour la santé, et le Q-AAP constitue la première étape de la planification de l'activité physique dans votre vie.

Pour la plupart des gens, l'activité physique n'est pas un problème et ne présente aucun danger. Le Q-AAP permet d'identifier les quelques adultes pour lesquels l'activité physique pourrait être à déconseiller ou qui auraient intérêt à consulter un médecin pour savoir quel genre d'activité leur convient.

Vous n'avez qu'à vous servir de votre bon sens pour répondre à ces questions. Lisez chacune soigneusement et cochez la case OUI ou NON.

Remettez le programme à plus tard si vous souffrez en ce moment d'un malaise temporaire bénin (un rhume, par exemple).

* Le Q-AAP a été mis au point par le Ministère de la Santé de la Colombie-britannique; conçu et analysé par le Conseil consultatif multi-disciplinaire sur l'exercice (CCME). Toute traduction, reproduction et utilisation en son entier est encouragée. Aucune modification sans permission écrite. Utilisation à des fins publicitaires et commerciales visant une vente au public interdite.
Référence: Rapport de validation du Q-AAP, Ministère de la Santé de la Colombie-britannique. Mai 1978.

Produit par le Ministère de la Santé de la Colombie-britannique et le Ministère de la santé et du bien-être social.

OUI	NON	
□	□	1. Un médecin vous a-t-il déjà dit que vous souffriez d'un trouble cardiaque?
□	□	2. Ressentez-vous fréquemment des douleurs à la poitrine ou au coeur?
□	□	3. Souffrez-vous d'étourdissements ou de faiblesses?
□	□	4. Un médecin vous a-t-il déjà dit que votre pression artérielle était trop élevée?
□	□	5. Un médecin a-t-il déjà détecté chez vous des troubles osseux ou articulaires, de l'arthrite, par exemple, que l'exercice pourrait aggraver?
□	□	6. Existe-t-il une bonne raison d'ordre physique, autre que celles mentionnées cidessus, susceptible de vous empêcher de suivre un programme d'exercice physique, même si vous le désiriez
□	□	7. Avez-vous plus de 65 ans et êtes-vous peu habitué aux exercices vigoureux?

Si vous avez répondu «OUI» à une ou plusieurs des questions

S'il y a longtemps que vous n'avez pas vu votre médecin, parlez-lui avant d'accroître votre niveau d'activité physique ou de passer une évaluation de la condition physique. Montrez-lui les questions du Q-AAP auxquelles vous avez répondu affirmativement.

Programmes

Après l'évaluation médicale, demandez au médecin de vous indiquer ce qui vous convient:

- une activité physique sans restriction, de préférence avec augmentation graduelle des exercices;
- une activité restreinte ou surveillée, correspondant à vos besoins individuels, au moins durant les premières semaines. Des programmes ou services spéciaux existent peut-être près de chez vous.

Si vous avez répondu «NON» à toutes les questions

Si vous avez bien répondu au questionnaire Q-AAP, vous êtes vraisemblablement prêt à entreprendre:

- un programme d'exercice graduel — l'augmentation graduelle d'un exercice approprié favorise le développement de la condition physique avec un minimum de risques et de difficultés;
- une évaluation de la condition physique (comme le Physitest normalisé canadien).

CHAPITRE 1

EXERCICES D'ASSOUPLISSEMENT

Quelques minutes de marche rapide ou de course lente ou sur place, suivies d'au moins 10 minutes d'exercices d'assouplissement doivent précéder chaque séance d'activité physique. Faites ces exercices lentement et en douceur, sans sauts ni mouvements brusques.

Les 8 exercices suivants permettent l'échauffement avant *toute* activité physique. Un 9e exercice peut s'imposer avant certaines activités.

Exécution des exercices

L'exercice 1 (ainsi que le 9e pour le saut à la corde) est exécuté d'un mouvement doux et continu. Pour les autres, faites 5 répétitions, en maintenant la position d'étirement pendant 10 secondes. Au fil des semaines, vous diminuerez le nombre des répétitions, mais maintiendrez la position d'étirement pendant 15 ou 20 secondes ou davantage. Étirez le muscle jusqu'à ce qu'il soit tendu, pas plus. Toute douleur est signe que vous l'étirez trop. Ne retenez pas votre souffle. Inspirez et expirez pendant chaque répétition.

1. Moulinets
Faites lentement de grands cercles avec les deux bras. Vers l'avant, puis vers l'arrière.

2. Étirement latéral
Étirez un bras au-dessus de la tête, et l'autre le long de la jambe. Répétez en alternant d'un côté à l'autre.

3. Étirement assis
Une jambe tendue, l'autre pliée en plaçant la semelle près du genou opposé. Tendez le corps en avant le long de la jambe tendue.

4. Dos rond
Genoux et mains au sol, arquez le dos en ramenant le menton vers la poitrine et en expirant. Reprenez la position dos plat, sans creuser le dos.

5. Inclinaison du bassin
Sur le dos, genoux pliés, pieds à plat. Tendez l'abdomen et les fesses et poussez le bas du dos fermement contre le sol.

6. Étirement du mollet
Pieds pointés vers l'avant, un devant l'autre, pliez les deux jambes pour étirer son muscle soléaire. Répétez avec les jambes plus écartées et la jambe arrière tendue afin d'étirer le muscle du tendon, à l'arrière du mollet.

7. Croisement des genoux
Assis, jambes devant, genoux pliés, pieds à plat. Tournez les jambes d'un côté, en direction du sol, en tournant la tête par-dessus l'épaule opposée.

8. Étirement de la cuisse
Debout. Pliez un genou et saisissez la cheville pour ramener le pied lentement vers les fesses. Répétez avec l'autre jambe. Ne courbez pas le dos.

9.a. Avant la course à pied, le ski de fond, le patinage ou la raquette
Accroupissement avant
Faites porter votre poids devant, sur la jambe avant pliée, en gardant la jambe arrière presque droite et le talon surélevé.

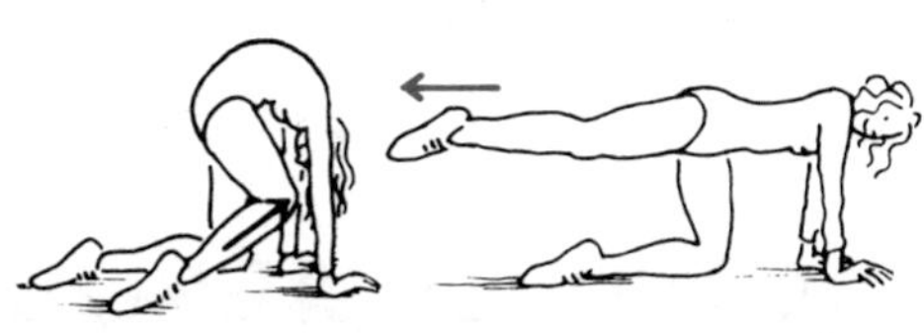

9.b. Avant la bicyclette et la bicyclette stationnaire
Roulement et étirement de la jambe
Genoux et mains au sol, avancez un genou vers le nez; étendez ensuite la jambe derrière jusqu'à ce qu'elle soit parallèle au sol.

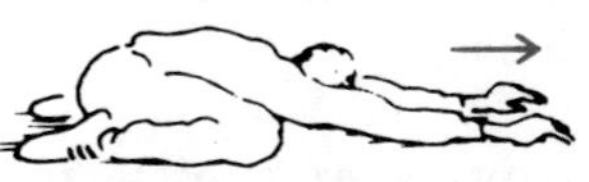

9.c. Avant la natation
Étirement du torse
Genoux et mains au sol, glissez lentement les mains devant vous en vous asseyant sur les jambes.

9.d. Avant le saut à la corde
Balancement des chevilles
Balancez-vous doucement sur la partie externe des pieds, depuis les talons vers un côté, puis vers la pointe, et vers l'autre côté. Les genoux doivent effectuer un mouvement circulaire. Répétez en sens inverse.

Étirez-vous!
Après chaque séance d'activité physique, effectuez de nouveau les exercices d'assouplissement pendant 5 minutes, de préférence les exercices pour les jambes. Si vous êtes un nageur, répétez l'exercice 9.c. (étirement du torse).

CHAPITRE 2

ACTIVITÉS AÉROBIQUES

Partez au bon niveau
Chaque activité aérobique, excepté la marche, propose trois niveaux d'entraînement. Il est important de commencer au niveau qui convient à votre condition actuelle.

Si vous avez subi le test d'évaluation de condition physique appelé Physitest normalisé: l'évaluateur vous a donné votre résultat aérobique personnel sous la forme d'un classement en rang centile. Par exemple, le centile 26 révèle que 25 % de la population canadienne de votre âge et du même sexe que vous possède une capacité aérobique inférieure à la vôtre. Le rang centile détermine votre niveau de départ, de la façon suivante:

Capacité aérobique	Niveau de départ
Rang centile	
25 ou moins	**1**
De 26 à 75	**2**
76 ou plus	**3**

Si votre condition physique n'a pas été évaluée ou si l'évaluation n'a pas déterminé votre centile pour la capacité aérobique: faites l'évaluation subjective de votre condition physique actuelle, et situez-vous honnêtement dans l'une des quatre catégories ci-contre.

Si	**Niveau de départ**
...vous ne ou modérément seulement pratiquez aucune activité physique régulière, ou si vous croyez avoir plus de 10 kilos (22 lb) en trop;	**1**
...vous avez délaissé votre activité physique régulière depuis quelques mois, vous avez moins de 10 kilos (22 lb) à perdre et vous croyez que la reprise de votre entraînement ne causera pas de problèmes;	**2**
...vous pratiquez une activité physique régulière et commencez une nouvelle activité aérobique;	**2**
...vous pratiquez déjà l'activité aérobique envisagée et avez moins de 5 kilos (11 lb) à perdre.	**3**

La progression des exercices est telle que les premières séances paraîtront particulièrement faciles. Si ce n'est pas le cas, il vaut mieux passer au niveau inférieur.

Principes d'entraînement
Les programmes d'entraînement aérobique EXPRES ont été mis au point sur la base des principes modernes d'entraînement: la progression graduelle, l'alternance travail/repos, l'entraînement intermittent et le niveau de vitesse et d'intensité approprié.

La progression
Chaque programme vous assure une progression graduelle contrôlée. Jour après jour, semaine après semaine, vous faites de l'exercice de plus en plus souvent, avec de plus en plus d'intensité et de plus en plus longuement. Vous améliorez votre capacité sans danger en réduisant les risques de blessure.

L'alternance

Chaque programme propose des semaines comportant de 2 à 5 jours d'activité. Au début, les jours de repos ont autant d'importance que les jours d'exercice. Ils permettent à l'organisme de récupérer et de s'adapter à la nouvelle activité tout en se préparant à la prochaine séance d'entraînement. Plus tard, les jours de repos pourront être consacrés aux exercices de force et d'endurance musculaire, ou à d'autres activités physiques (le tennis, par exemple).

L'intermittence

La plupart des séances d'entraînement varient au niveau de l'intensité, faisant alterner des phases intenses et des phases plus lentes (par exemple, 3 minutes à grande vitesse, suivies de 2 minutes à faible vitesse). En plus de varier les séances d'entraînement, cette intermittence permet une meilleure exécution des phases intenses, et assure l'efficacité de l'entraînement: vous augmentez le travail à forte intensité sans fatigue excessive.

La vitesse et l'intensité

Les programmes précisent la vitesse et l'intensité d'exécution de chaque activité. Vérifiez les vôtres par le «test de la parole».

- Votre exercice est de *faible intensité* ou *lent* si vous parlez très facilement ou avez l'impression que vous pourriez continuer l'exercice très longtemps.

- La *vitesse moyenne* et l'*intensité moyenne* permettent de parler sans grande difficulté, en ayant l'impression que vous pourriez maintenir l'effort longtemps.

- Vous avez une activité de *forte intensité* ou de *grande vitesse* si vous êtes essoufflé et pouvez difficilement parler ou si vous avez l'impression que vous ne pourriez pas continuer longtemps.

(Bien qu'il soit difficile de parler en nageant, l'impression de pouvoir le faire plus ou moins facilement demeure une mesure valable.)

Choix des jours
Faites de l'exercice les jours qui vous conviennent. Respectez toutefois l'ordre des séances d'entraînement (A, B, C...). Et évitez de faire vos exercices deux jours consécutifs — sauf aux niveaux supérieurs où vous passez à plus de 3 séances hebdomadaires.

Interruption du programme
Lorsque vous devez manquer une séance d'entraînement à cause de vos obligations quotidiennes, le programme EXPRES vous permet d'omettre la dernière séance hebdomadaire à condition de prolonger l'avant-dernière.

Si vous manquez plus de la moitié des séances d'une semaine donnée, reprenez la semaine au complet au cours de la semaine suivante. Si vous manquez une ou plusieurs semaines entières, reprenez à la dernière semaine que vous avez complétée.

Autres activités
Les 9 activités aérobiques du programme EXPRES ont l'avantage de faire travailler le coeur et les poumons de façon régulière et continue. Mais d'autres activités procurent des bienfaits aérobiques.

Les sports de raquette et le soccer, par exemple, sollicitent le système cardio-vasculaire. Ils ne sont pas inclus dans ce guide parce qu'ils ne peuvent constituer un programme de conditionnement physique progressif et systématique. Que cela ne vous empêche pas de les pratiquer pendant les jours de repos prévus dans votre programme, ou lorsque vous aurez dépassé le niveau 3.

D'autres activités strictement aérobiques — telles l'aviron (le canoë, le kayac ou l'exerciseur à rames), le ski à roulettes ou la montée d'escaliers — peuvent constituer un programme aérobique aussi valable que ceux que nous proposons.

Modification des programmes
Certaines difficultés inhérentes à la température (la chaleur et l'humidité) ou à votre parcours peuvent vous obliger à réduire l'intensité de votre entraînement. Évitez les abus, mais efforcez-vous de suivre votre programme le plus fidèlement possible.

Après 13 semaines
Une fois complétées les 13 semaines de votre programme, plusieurs choix s'offriront à vous. Si votre programme vous plaît, poursuivez la même activité au même niveau en répétant la dernière semaine, mais allongez chaque séance de 5 minutes. Vous pouvez passer au niveau supérieur du même programme — en sautant toute semaine où vos exercices ont une durée moindre que durant la dernière semaine que vous avez complétée.

Si vous décidez de changer d'activité, passez, par exemple, du niveau 1 de la course à pied, au niveau 2 de la natation; mais si les premières séances d'entraînement vous paraissent trop exigeantes, essayez le niveau inférieur. Les différentes activités sollicitant des muscles différents, l'adaptation n'est pas toujours immédiate.

Activités aérobiques et contrôle du poids
Toute activité physique peut vous aider à combattre l'embonpoint. Les activités aérobiques que nous recommandons sont particulièrement efficaces. L'augmentation graduelle de l'intensité et de la durée des exercices contribue à brûler les calories mieux que dans les activités à forte intensité mais de courte durée.

Si vous devez perdre plus de 5 kilos, choisissez votre activité avec soin. Le poids supplémentaire taxe les articulations durant des activités comme la course ou la raquette, où vos jambes supportent le poids de votre corps. La natation, la bicyclette ou la bicyclette stationnaire conviennent mieux au débutant.

Persévérez même si les résultats se font attendre. Une augmentation de l'activité physique et une saine alimentation constituent les meilleurs moyens de perdre de la graisse. Mais cette perte ne se traduit pas nécessairement par une diminution de poids, surtout pendant les premières semaines. Observez plutôt votre tonus musculaire dans le miroir ou à travers vos vêtements devenus trop amples. Mesurez la poitrine, la taille, les hanches et les cuisses et vous constaterez l'amélioration désirée. La balance vous l'indiquera à plus longue échéance. Soyez patient et fixez-vous des objectifs raisonnables. Vous avez probablement mis des années à acquérir votre silhouette actuelle. Vous ne la modifierez pas en quelques semaines.

Marche

Des gens de tous les âges apprécient la marche, un exercice efficace que l'on peut pratiquer sans danger aux différentes étapes de la vie. Moins exigeante que la plupart des activités aérobiques que nous présentons ici, elle procure une détente agréable et *peut* améliorer la condition physique.

À la portée de tous, elle convient aux jeunes et aux vieux, aux hommes et aux femmes. Elle est accessible n'importe où, en tout temps et en toute saison. Activité rythmée et douce, elle comporte peu de risque d'inconfort ou de blessure. Elle ne requiert qu'une bonne paire de chaussures et des vêtements appropriés à la température.

La marche est à conseiller si:

- ...votre budget est limité. Une paire de chaussures suffit. Aucun cours ou équipement n'est nécessaire.
- ...votre temps est compté. Planifiez votre journée de façon à inclure la marche vers votre lieu de travail, les magasins, etc.
- ...votre horaire est imprévisible ou vous voyagez beaucoup. Sur le trottoir voisin ou à l'autre bout du monde, la marche reste accessible et vous ne vous souciez pas des heures d'accès aux installations sportives.
- ...votre poids vous préoccupe. La marche régulière contribue largement au contrôle du poids.

Pour bien commencer:

• *Vos chaussures.* Les bonnes chaussures de course conviennent aussi à la marche. Vos chaussures doivent être légères, mais solides, posséder des semelles épaisses qui absorbent les chocs et offrir un soutien suffisant au talon pour la stabilité du pied. La cambrure doit être assez souple pour courber à chaque pas, et correctement ajustée. Le matériau doit permettre au pied de respirer: le treillis de nylon est supérieur à la toile ou au cuir à cet égard. Essayez *les deux* chaussures avant de les acheter.

• *Votre rythme.* Adoptez un rythme plutôt rapide dès que vous en avez la capacité. La marche trop lente ou lèche-vitrines n'améliorera par votre forme physique. Marchez donc à bonne allure et, en accord avec les tableaux, augmentez graduellement la durée et le rythme de vos promenades.

• *Votre confort et votre sécurité.* Évitez d'emprunter longtemps la même direction sur une surface en biais (l'accotement d'une route, par exemple). Soyez très prudent aux intersections lorsque la circulation est dense, et respectez le code de la route.

Marchez avec le temps.

S'il fait très chaud, choisissez un parcours ombragé et marchez plus lentement que d'habitude. Buvez *avant* d'avoir soif. Il est bon de boire un verre d'eau une demi-heure avant de partir.

S'il fait froid, évitez les surfaces glacées. Marchez de préférence à l'abri du vent. Portez plusieurs couches de vêtements minces plutôt qu'une seule plus épaisse. Par temps très froid, portez des gants ou des mitaines, et un chapeau qui enveloppe la tête et les oreilles.

MARCHE

* S'il vous est impossible de faire la dernière séance de la semaine, vous pouvez prolonger cette séance de 5 minutes, et omettre la séance suivante.

** Excluant les périodes d'échauffement et d'assouplissement.

SEMAINE	✓ JOUR	DURÉE ET VITESSE	DURÉE TOTALE**
1	A	15 min, très lente	15 min
	B	15 min, très lente	15 min*
	C	15 min, lente	15 min
2	A	20 min, très lente	20 min
	B	20 min, très lente	20 min
	C	20 min, lente	20 min*
Exemple:	D ✓	1 min, moyenne + 4 min, lente x 3 =	15 min
3	A	20 min, très lente	20 min
	B	20 min, lente	20 min
	C	1 min, moyenne + 4 min, lente x 4 =	20 min*
	D	2 min, moyenne + 3 min, lente x 3 =	15 min
4	A	25 min, lente	25 min
	B	1 min moyenne + 4 min, lente x 5 =	25 min
	C	2 min, moyenne + 3 min, lente x 5 =	25 min*
	D	3 min, moyenne + 2 min, lente x 4 =	20 min
5	A	25 min, lente	25 min
	B	1 min, moyenne + 4 min, lente x 5 =	25 min
	C	2 min, moyenne + 3 min, lente x 5 =	25 min
	D	3 min, moyenne + 2 min, lente x 5 =	25 min*
	E	4 min, moyenne + 1 min, lente x 4 =	20 min
6	A	1 min, moyenne + 4 min, lente x 5 =	25 min
	B	2 min, moyenne + 3 min, lente x 5 =	25 min
	C	3 min, moyenne + 2 min, lente x 5 =	25 min
	D	4 min, moyenne + 1 min, lente x 5 =	25 min*
	E	20 min, moyenne	20 min
7	A	2 min, moyenne + 3 min, lente x 5 =	25 min
	B	3 min, moyenne + 2 min, lente x 5 =	25 min
	C	4 min, moyenne + 1 min, lente x 5 =	25 min
	D	25 min, moyenne	25 min*
	E	1 min, rapide + 4 min, lente x 4 =	20 min

Exemple explicatif: la deuxième semaine, faites de la marche quatre jours. Le quatrième jour (D), marchez à vitesse moyenne pendant 1 minute, puis à vitesse lente pendant 4 minutes. Faites cet exercice 3 fois, pour un total de 15 minutes. Ensuite, faites une coche.

SEMAINE	✓ JOUR	DURÉE ET VITESSE	DURÉE TOTALE**
8	A	2 min, moyenne + 3 min, lente x 5 =	25 min
	B	3 min, moyenne + 2 min, lente x 5 =	25 min
	C	4 min, moyenne + 1 min, lente x 5 =	25 min
	D	25 min, moyenne	25 min*
	E	1 min, rapide + 4 min, lente x 4 =	20 min
9	A	3 min, moyenne + 2 min, lente x 6 =	30 min
	B	4 min, moyenne + 1 min, lente x 6 =	30 min
	C	30 min, moyenne	30 min
	D	1 min, rapide + 4 min, lente x 6 =	30 min*
	E	2 min, rapide + 3 min, lente x 5 =	25 min
10	A	4 min, moyenne + 1 min, lente x 6 =	30 min
	B	30 min, moyenne	30 min
	C	1 min, rapide + 4 min, lente x 6 =	30 min
	D	2 min, rapide + 3 min, lente x 6 =	30 min*
	E	3 min, rapide + 2 min, lente x 5 =	25 min
11	A	30 min, moyenne	30 min
	B	1 min, rapide + 4 min, lente x 6 =	30 min
	C	2 min, rapide + 3 min, lente x 6 =	30 min
	D	3 min, rapide + 2 min, lente x 6 =	30 min*
	E	4 min, rapide + 1 min, lente x 5 =	25 min
12	A	1 min, rapide + 4 min, lente x 6 =	30 min
	B	2 min, rapide + 3 min, lente x 6 =	30 min
	C	3 min, rapide + 2 min, lente x 6 =	30 min
	D	4 min, rapide + 1 min, lente x 6 =	30 min*
	E	25 min, rapide	25 min
13	A	2 min, rapide + 3 min, lente x 6 =	30 min
	B	3 min, rapide + 2 min, lente x 6 =	30 min
	C	4 min, rapide + 1 min, lente x 6 =	30 min
	D	30 min, rapide	30 min*
	E	25 min, rapide	25 min

Course à pied

Qu'on l'appelle course à pied ou jogging, cette excellente activité aérobique n'exige aucune installation spéciale. Vous pouvez courir dès le seuil de votre porte. Et elle procure un exercice vigoureux.

Comme la marche, on la pratique en plein air. Vous pouvez l'adopter toute l'année ou alterner avec une activité aérobique d'hiver. Vous courez seul ou avec d'autres, aux moments qui vous conviennent le mieux.

Malgré les nombreuses blessures causées par cette activité, n'y renoncez pas. La course n'est pas dangereuse en elle-même; seule la manière dont certaines personnes la pratiquent l'est. Si vous utilisez les chaussures appropriées, si vous vous échauffez suffisamment et progressez graduellement — et si vous suivez les conseils ci-dessous — cet exercice sera pour vous agréable et sûr.

La course est à conseiller si:

- ...votre budget est limité. Comme pour la marche, une bonne paire de chaussures suffit.

- ...votre temps est compté ou votre horaire imprévisible. Vous courez quand vous le désirez.

- ...vous appréciez un peu de compétition. Des courses populaires sont organisées à la grandeur du pays, presque toute l'année durant.

- ...la course vous plaît. Ne courez pas uniquement pour votre bien-être. Si la course ne vous intéresse pas, d'autres activités s'offrent à votre choix.

Attention: la course est une activité exigeante. Si vous avez des problèmes osseux ou articulaires ou si vous faites beaucoup d'embonpoint, commencez plutôt par la marche ou une activité dont l'équipement soutient votre poids, comme la bicyclette ou la natation. La course à pied viendra plus tard.

Pour bien commencer:

- *Vos chaussures.* Les prix varient considérablement et le choix en est presque trop grand. À votre boutique de sport, vous devriez trouver une personne compétente qui vous aidera à choisir les vôtres. Vos chaussures doivent posséder une semelle épaisse, une cambrure relativement souple, un bon soutien autour du talon et offrir un ajustement convenable. Essayez *les deux* chaussures avant de les acheter.

- *Vos vêtements.* Par temps chaud, un short et un t-shirt suffisent. S'il fait plus frais, portez des vêtements qui vous gardent au chaud sans gêner vos mouvements.

- *Votre foulée.* Adoptez une foulée qui permet au pied d'atterrir doucement sur le talon ou à plat, et ensuite de rouler vers l'avant et de pousser avec les orteils. Votre longueur de foulée doit être confortable et naturelle, vos épaules et vos bras détendus.

- *Les blessures.* Une course sur une surface inclinée est dure pour les jambes. Évitez de courir longuement sur l'accotement incliné d'une route. Au début de votre programme, évitez les pentes trop nombreuses. Ne parcourez pas deux fois de suite un circuit comportant beaucoup de pentes.

- *La sécurité.* Restez prudent lorsque la circulation est dense. Sur la route, courez à gauche, face à la circulation. Si vous courez la nuit, portez des vêtements clairs et utilisez des bandes réfléchissantes.

Courez avec le temps.

S'il fait très chaud, choisissez un parcours ombragé et courez plus lentement que d'habitude. Buvez *avant* d'avoir soif. Il est bon de boire un verre d'eau une demi-heure avant de partir.

S'il fait froid, évitez les surfaces glacées. Courez de préférence à l'abri du vent ou courez vent devant pour l'aller, et vent derrière au retour. Portez plusieurs couches de vêtements minces plutôt qu'une seule plus épaisse. Par temps très froid, portez des gants ou des mitaines, ainsi qu'une tuque qui enveloppe bien la tête et les oreilles.

COURSE À PIED, NIVEAU 1

* S'il vous est impossible de faire la dernière séance de la semaine, vous pouvez prolonger cette séance de 5 minutes, et omettre la séance suivante.

** Excluant les périodes d'échauffement et d'assouplissement.

SEMAINE	✓ JOUR	COURSE LENTE	MARCHE		DURÉE TOTALE**
1 Exemple:	✓A	10 sec	+ 50 sec	x 5 =	5 min
	B	20 sec	+ 40 sec	x 5 =	5 min
2	A	20 sec	+ 40 sec	x 10 =	10 min
	B	30 sec	+ 30 sec	x 5 =	5 min
3	A	10 sec	+ 50 sec	x 10 =	10 min
	B	20 sec	+ 40 sec	x 10 =	10 min*
	C	30 sec	+ 30 sec	x 5 =	5 min
4	A	20 sec	+ 40 sec	x 10 =	10 min
	B	30 sec	+ 30 sec	x 10 =	10 min*
	C	45 sec	+ 15 sec	x 5 =	5 min
5	A	20 sec	+ 40 sec	x 10 =	10 min
	B	30 sec	+ 30 sec	x 10 =	10 min*
	C	45 sec	+ 15 sec	x 5 =	5 min
6	A	30 sec	+ 30 sec	x 10 =	10 min
	B	45 sec	+ 15 sec	x 10 =	10 min*
	C	2 min	+ 30 sec	x 2 =	5 min
7	A	30 sec	+ 30 sec	x 15 =	15 min
	B	45 sec	+ 15 sec	x 15 =	15 min*
	C	2 min	+ 30 sec	x 4 =	10 min

Exemple explicatif: la première semaine, entraînez-vous deux jours (non consécutifs). Le premier jour (A), courez lentement pendant 10 secondes, puis marchez pendant 50 secondes. Faites cet exercice 5 fois, pour un total de 5 minutes. Ensuite, faites une coche.

SEMAINE	✔ JOUR	COURSE LENTE	MARCHE		DURÉE TOTALE**
8	A	45 sec	+ 15 sec	x 15 =	15 min
	B	2 min	+ 30 sec	x 6 =	15 min*
	C	4 min 30 sec	+ 30 sec	x 2 =	10 min
9	A	45 sec	+ 15 sec	x 15 =	15 min
	B	2 min	+ 30 sec	x 6 =	15 min*
	C	4 min 30 sec	+ 30 sec	x 2 =	10 min
10	A	2 min	+ 30 sec	x 6 =	15 min
	B	4 min 30 sec	+ 30 sec	x 3 =	15 min*
	C	10 min, très lente			10 min
11	A	2 min	+ 30 sec	x 6 =	15 min
	B	4 min 30 sec	+ 30 sec	x 3 =	15 min*
	C	10 min, très lente			10 min
12	A	4 min 30 sec	+ 30 sec	x 3 =	15 min
	B	15 min, très lente			15 min*
	C	10 min, très lente			10 min
13	A	4 min 30 sec	+ 30 sec	x 3 =	15 min
	B	15 min, très lente			15 min*
	C	10 min, très lente			10 min

COURSE À PIED, NIVEAU 2

* S'il vous est impossible de faire la dernière séance de la semaine, vous pouvez prolonger cette séance de 5 minutes, et omettre la séance suivante.

** Excluant les périodes d'échauffement et d'assouplissement.

SEMAINE	✔ JOUR	COURSE	MARCHE	DURÉE TOTALE**
1 Exemple:	✔A	45 sec, lente	+ 15 sec x 10 =	10 min
	B	2 min, lente	+ 30 sec x 4 =	10 min
2	A	45 sec, lente	+ 15 sec x 15 =	15 min
	B	2 min, lente	+ 30 sec x 6 =	15 min*
	C	4 min 30 sec, lente	+ 30 sec x 2 =	10 min
3	A	45 sec, lente	+ 15 sec x 15 =	15 min
	B	2 min, lente	+ 30 sec x 6 =	15 min*
	C	4 min 30 sec, lente	+ 30 sec x 2 =	10 min
4	A	2 min, lente	+ 30 sec x 6 =	15 min
	B	4 min 30 sec, lente	+ 30 sec x 3 =	15 min*
	C	10 min, très lente		10 min
5	A	45 sec, lente	+ 15 sec x 15 =	15 min
	B	2 min, lente	+ 30 sec x 6 =	15 min
	C	4 min 30 sec, lente	+ 30 sec x 3 =	15 min*
	D	10 min, très lente		10 min
6	A	2 min, lente	+ 30 sec x 6 =	15 min
	B	4 min 30 sec, lente	+ 30 sec x 3 =	15 min
	C	15 min, très lente		15 min*
	D	10 min, lente		10 min
7	A	2 min, lente	+ 30 sec x 8 =	20 min
	B	4 min 30 sec, lente	+ 30 sec x 4 =	20 min
	C	20 min, très lente		20 min*
	D	15 min, lente		15 min

Exemple explicatif: la première semaine, entraînez-vous deux jours (non consécutifs). Le premier jour (A), courez lentement pendant 45 secondes, puis marchez pendant 15 secondes. Faites cet exercice 10 fois, pour un total de 10 minutes. Ensuite, faites une coche.

SEMAINE	✔ JOUR	COURSE	MARCHE OU *COURSE*	DURÉE TOTALE**
8	A	4 min 30 sec, lente	+ 30 sec x 4 =	20 min
	B	20 min, très lente		20 min
	C	20 min, lente		20 min*
	D	1 min, moyenne	+ *4 min, lente* x 3 =	15 min
9	A	4 min 30 sec, lente	+ 30 sec x 4 =	20 min
	B	20 min, très lente		20 min
	C	20 min, lente		20 min*
	D	1 min, moyenne	+ *4 min, lente* x 3 =	15 min
10	A	20 min, très lente		20 min
	B	20 min, lente		20 min
	C	1 min, moyenne	+ *4 min, lente* x 4 =	20 min*
	D	2 min, moyenne	+ *3 min, lente* x 3 =	15 min
11	A	20 min, très lente		20 min
	B	20 min, lente		20 min
	C	1 min, moyenne	+ *4 min, lente* x 4 =	20 min*
	D	2 min, moyenne	+ *3 min, lente* x 3 =	15 min
12	A	20 min, lente		20 min
	B	1 min, moyenne	+ *4 min, lente* x 4 =	20 min*
	C	2 min, moyenne	+ *3 min, lente* x 4 =	20 min*
	D	2 min, moyenne	+ *3 min, lente* x 3 =	15 min
13	A	20 min, lente		20 min
	B	1 min, moyenne	+ *4 min, lente* x 4 =	20 min
	C	2 min, moyenne	+ *3 min, lente* x 4 =	20 min*
	D	2 min, moyenne	+ *3 min, lente* x 3 =	15 min

COURSE À PIED, NIVEAU 3

* S'il vous est impossible de faire la dernière séance de la semaine, vous pouvez prolonger cette séance de 5 minutes, et omettre la séance suivante.

** Excluant les périodes d'échauffement et d'assouplissement.

SEMAINE	✓ JOUR	COURSE	DURÉE TOTALE**
1	A	15 min, lente	15 min
	B	15 min, lente	15 min*
Exemple:	✓ C	1 min, moyenne + 4 min, lente x 3 =	15 min
2	A	20 min, lente	20 min
	B	20 min, lente	20 min
	C	1 min, moyenne + 4 min, lente x 4 =	20 min*
	D	2 min, moyenne + 3 min, lente x 3 =	15 min
3	A	20 min, lente	20 min
	B	20 min, lente	20 min
	C	1 min, moyenne + 4 min, lente x 4 =	20 min*
	D	2 min, moyenne + 3 min, lente x 3 =	15 min
4	A	20 min, lente	20 min
	B	1 min, moyenne + 4 min, lente x 4 =	20 min
	C	2 min, moyenne + 3 min, lente x 4 =	20 min*
	D	3 min, moyenne + 2 min, lente x 3 =	15 min
5	A	20 min, lente	20 min
	B	20 min, lente	20 min
	C	1 min, moyenne + 4 min, lente x 4 =	20 min
	D	2 min, moyenne + 3 min, lente x 4 =	20 min*
	E	3 min, moyenne + 2 min, lente x 3 =	15 min
6	A	20 min, lente	20 min
	B	1 min, moyenne + 4 min, lente x 4 =	20 min
	C	2 min, moyenne + 3 min, lente x 4 =	20 min
	D	3 min, moyenne + 2 min, lente x 4 =	20 min*
	E	4 min, moyenne + 1 min, lente x 3 =	15 min
7	A	25 min, lente	25 min
	B	1 min, moyenne + 4 min, lente x 5 =	25 min
	C	2 min, moyenne + 3 min, lente x 5 =	25 min
	D	3 min moyenne + 2 min, lente x 5 =	25 min*
	E	4 min, moyenne + 1 min, lente x 4 =	20 min

Exemple explicatif: la première semaine, entraînez-vous trois jours (non consécutifs). Le troisième jour (C), courez à un rhythme moyen pendant 1 minute, puis courez lentement pendant 4 minutes. Faites cet exercice 3 fois, pour un total de 15 minutes. Ensuite, faites une coche.

SEMAINE	✓ JOUR	COURSE	DURÉE TOTALE**
8	A	1 min, moyenne + 4 min, lente x 5 =	25 min
	B	2 min, moyenne + 3 min, lente x 5 =	25 min
	C	3 min, moyenne + 2 min, lente x 5 =	25 min
	D	4 min, moyenne + 1 min, lente x 5 =	25 min*
	E	20 min, moyenne	20 min
9	A	1 min, moyenne + 4 min, lente x 5 =	25 min
	B	2 min, moyenne + 3 min, lente x 5 =	25 min
	C	3 min, moyenne + 2 min, lente x 5 =	25 min
	D	4 min, moyenne + 1 min, lente x 5 =	25 min*
	E	20 min, moyenne	20 min
10	A	2 min, moyenne + 3 min, lente x 5 =	25 min
	B	3 min, moyenne + 2 min, lente x 5 =	25 min
	C	4 min, moyenne + 1 min, lente x 5 =	25 min
	D	25 min, moyenne	25 min*
	E	20 min, rapide	20 min
11	A	2 min, moyenne + 3 min, lente x 5 =	25 min
	B	3 min, moyenne + 2 min, lente x 5 =	25 min
	C	4 min, moyenne + 1 min, lente x 5 =	25 min
	D	25 min, moyenne	25 min*
	E	20 min, rapide	20 min
12	A	3 min, moyenne + 2 min, lente x 5 =	25 min
	B	4 min, moyenne + 1 min, lente x 5 =	25 min
	C	25 min, moyenne	25 min
	D	25 min, rapide	25 min*
	E	20 min, rapide	20 min
13	A	3 min, moyenne + 2 min, lente x 5 =	25 min
	B	4 min, moyenne + 1 min, lente x 5 =	25 min
	C	25 min, moyenne	25 min
	D	25 min, rapide	25 min*
	E	20 min, rapide	20 min

Bicyclette

Le cyclisme connaît depuis quelques années une popularité phénoménale au pays. Cela n'a rien d'étonnant: la bicyclette constitue un moyen de transport peu coûteux, agréable, qui aide à garder la forme et à profiter du plein air. C'est un excellent sport familial.

Aux premières neiges, on peut remplacer le cyclisme par le patinage, le ski de fond ou la raquette. On le remplace également par la bicyclette stationnaire.

La bicyclette est à conseiller si:

- ...vous disposez d'un parcours sûr. Les pistes cyclables et les rues désertes sont idéales.
- ...vous faites de l'embonpoint. Votre poids est supporté par le vélo durant l'exercice.
- ...vous avez des problèmes osseux ou articulaires qui pourraient être aggravés par une activité où votre poids n'est pas soutenu par un équipement.
- ...vous disposez du temps nécessaire à l'entretien de votre vélo.

Pour bien commencer:

- ...*Le choix d'un vélo.* Il existe quatre types de bicyclettes: à une ou trois vitesses; à cinq ou six vitesses; tout-terrain; et de course, à guidon surbaissé et de 10 à 15 vitesses. Chaque catégorie est offerte par différents fabricants. Si vous ignorez quel vélo vous convient, adressez-vous à une boutique spécialisée: on vous aidera à choisir celui qui convient à votre budget et à vos projets.

• *L'ajustement.* L'ajustement du vélo permet de rouler confortablement, sans danger. La hauteur et l'angle de la selle sont particulièrement importants. Si vous ne pouvez les ajuster vous-même, demandez au vendeur ou à un ami compétent de vous aider.

• *L'entretien et la réparation.* Un ouvrier spécialisé peut effectuer les réparations majeures, mais vous devriez apprendre à réparer vous-même une crevaison et à faire une vérification de sécurité. Un manuel d'entretien et de réparation pourra vous guider.

• *Un casque et des gants.* Le casque rigide conforme aux normes gouvernementales est indispensable. Les gants de cycliste, quoique moins nécessaires, sont recommandés. Leur paume de cuir coussiné assure votre confort pendant les longues randonnées et vous protège en cas de chute.

• *La vitesse de pédalage.* Adoptez un rythme constant et confortable — de 70 à 100 tours de pédale à la minute. Utilisez les vitesses dans les pentes et contre le vent.

Sécurité routière

Attention aux cahots, aux trous et aux éclats de verre.

Surveillez les inégalités de la chaussée, les grilles d'égout et le gravier.

Méfiez-vous des situations dangereuses — portières d'autos qui s'ouvrent, voitures arrivant de rues secondaires ou s'apprêtant à tourner à droite devant vous.

Faites de la conduite préventive et observez scrupuleusement le code de la route.

Roulez avec le temps.

S'il fait très chaud, choisissez un parcours ombragé et roulez plus lentement que d'habitude. Buvez *avant* d'avoir soif. Il est bon de boire un verre d'eau une demi-heure avant de partir.

S'il fait froid, portez des vêtements suffisamment chauds pour couper le vent et vous protéger du froid. Plusieurs couches de vêtements sont préférables à un seul vêtement épais: elles permettent l'ajustement graduel à la température et à votre niveau d'activité. S'il fait très froid, portez une tuque qui enveloppe la tête et les oreilles.

BICYCLETTE, NIVEAU 1

* S'il vous est impossible de faire la dernière séance de la semaine, vous pouvez prolonger cette séance de 5 minutes, et omettre la séance suivante.
** Excluant les périodes d'échauffement et d'assouplissement.

SEMAINE	✓ JOUR	VITESSE	DURÉE TOTALE**
1	A	15 min, très lente	15 min
	B	15 min, lente	15 min
2	A	20 min, lente	20 min
Exemple:	B ✓	1 min, moyenne + 4 min, lente x 3 =	15 min
3	A	20 min, très lente	20 min
	B	20 min, lente	20 min*
	C	1 min, moyenne + 4 min, lente x 3 =	15 min
4	A	25 min, lente	25 min
	B	1 min, moyenne + 4 min, lente x 5 =	25 min*
	C	2 min, moyenne + 3 min, lente x 4 =	20 min
5	A	25 min, lente	25 min
	B	1 min, moyenne + 4 min, lente x 5 =	25 min*
	C	2 min, moyenne + 3 min, lente x 4 =	20 min
6	A	1 min, moyenne + 4 min, lente x 5 =	25 min
	B	2 min, moyenne + 3 min, lente x 5 =	25 min*
	C	3 min, moyenne + 2 min, lente x 4 =	20 min
7	A	1 min, moyenne + 4 min, lente x 5 =	25 min
	B	2 min, moyenne + 3 min, lente x 5 =	25 min*
	C	3 min, moyenne + 2 min, lente x 4 =	20 min

Exemple explicatif: la deuxième semaine, faites du vélo deux jours (non consécutifs). Le deuxième jour (B), pédalez 1 minute à vitesse moyenne, puis 4 minutes à rythme lent. Faites cet exercice 3 fois, pour un total de 15 minutes. Ensuite, faites une coche.

SEMAINE	✓ JOUR	VITESSE	DURÉE TOTALE**
8	A	2 min, moyenne + 3 min, lente x 5 =	25 min
	B	3 min, moyenne + 2 min, lente x 5 =	25 min*
	C	4 min, moyenne + 1 min, lente x 4 =	20 min
9	A	2 min, moyenne + 3 min, lente x 6 =	30 min
	B	3 min, moyenne + 2 min, lente x 6 =	30 min*
	C	4 min, moyenne + 1 min, lente x 5 =	25 min
10	A	3 min, moyenne + 2 min, lente x 6 =	30 min
	B	4 min, moyenne + 1 min, lente x 6 =	30 min*
	C	25 min, moyenne	25 min
11	A	3 min, moyenne + 2 min, lente x 6 =	30 min
	B	4 min, moyenne + 1 min, lente x 6 =	30 min*
	C	25 min, moyenne	25 min
12	A	4 min, moyenne + 1 min, lente x 6 =	30 min
	B	30 min, moyenne	30 min*
	C	25 min, moyenne	25 min
13	A	4 min, moyenne + 1 min, lente x 6 =	30 min
	B	30 min, moyenne	30 min*
	C	25 min, moyenne	25 min

BICYCLETTE, NIVEAU 2

* S'il vous est impossible de faire la dernière séance de la semaine, vous pouvez prolonger cette séance de 5 minutes, et omettre la séance suivante.

** Excluant les périodes d'échauffement et d'assouplissement.

SEMAINE	✓ JOUR	VITESSE	DURÉE TOTALE**
1 Exemple:	✓A	1 min, moyenne + 4 min, lente x 4 =	20 min
	B	2 min, moyenne + 3 min, lente x 4 =	20 min
2	A	1 min, moyenne + 4 min, lente x 5 =	25 min
	B	2 min, moyenne + 3 min, lente x 5 =	25 min*
	C	3 min, moyenne + 2 min, lente x 4 =	20 min
3	A	1 min, moyenne + 4 min, lente x 6 =	30 min
	B	2 min, moyenne + 3 min, lente x 6 =	30 min*
	C	3 min, moyenne + 2 min, lente x 5 =	25 min
4	A	2 min, moyenne + 3 min, lente x 6 =	30 min
	B	3 min, moyenne + 2 min, lente x 6 =	30 min*
	C	4 min, moyenne + 1 min, lente x 5 =	25 min
5	A	1 min, moyenne + 4 min, lente x 7 =	35 min
	B	2 min, moyenne + 3 min, lente x 7 =	35 min
	C	3 min, moyenne + 2 min, lente x 7 =	35 min*
	D	4 min, moyenne + 1 min, lente x 6 =	30 min
6	A	2 min, moyenne + 3 min, lente x 7 =	35 min
	B	3 min, moyenne + 2 min, lente x 7 =	35 min
	C	4 min, moyenne + 1 min, lente x 7 =	35 min*
	D	30 min, moyenne	30 min
7	A	2 min, moyenne + 3 min, lente x 7 =	35 min
	B	3 min, moyenne + 2 min, lente x 7 =	35 min
	C	4 min, moyenne + 1 min, lente x 7 =	35 min*
	D	30 min, moyenne	30 min

Exemple explicatif: la première semaine, faites du vélo deux jours (non consécutifs). Le premier jour (A), pédalez 1 minute à vitesse moyenne, puis 4 minutes à rythme lent. Faites cet exercice 4 fois, pour un total de 20 minutes. Ensuite, faites une coche.

SEMAINE	✓ JOUR	VITESSE	DURÉE TOTALE**
8	A	3 min, moyenne + 2 min, lente x 7 =	35 min
	B	4 min, moyenne + 1 min, lente x 7 =	35 min
	C	35 min, moyenne	35 min*
	D	1 min, rapide + 4 min, lente x 6 =	30 min
9	A	3 min, moyenne + 2 min, lente x 7 =	35 min
	B	4 min, moyenne + 1 min, lente x 7 =	35 min
	C	35 min, moyenne	35 min*
	D	1 min, rapide + 4 min, lente x 6 =	30 min
10	A	4 min, moyenne + 1 min, lente x 8 =	40 min
	B	40 min, moyenne	40 min
	C	1 min, rapide + 4 min, lente x 8 =	40 min*
	D	2 min, rapide + 3 min, lente x 7 =	35 min
11	A	4 min, moyenne + 1 min, lente x 8 =	40 min
	B	40 min, moyenne	40 min
	C	1 min, rapide + 4 min, lente x 8 =	40 min*
	D	2 min, rapide + 3 min, lente x 7 =	35 min
12	A	40 min, moyenne	40 min
	B	1 min, rapide + 4 min, lente x 8 =	40 min
	C	2 min, rapide + 3 min, lente x 8 =	40 min*
	D	2 min, rapide + 3 min, lente x 7 =	35 min
13	A	40 min, moyenne	40 min
	B	1 min, rapide + 4 min, lente x 8 =	40 min
	C	2 min, rapide + 3 min, lente x 8 =	40 min*
	D	2 min, rapide + 3 min, lente x 7 =	35 min

BICYCLETTE, NIVEAU 3

* S'il vous est impossible de faire la dernière séance de la semaine, vous pouvez prolonger cette séance de 5 minutes, et omettre la séance suivante.

** Excluant les périodes d'échauffement et d'assouplissement.

SEMAINE	✓ JOUR	VITESSE	DURÉE TOTALE**
1 Exemple:	A ✓	4 min, moyenne + 1 min, lente x 5 =	25 min
	B	4 min, moyenne + 1 min, lente x 5 =	25 min*
	C	25 min, moyenne	25 min
2	A	4 min, moyenne + 1 min, lente x 6 =	30 min
	B	4 min, moyenne + 1 min, lente x 6 =	30 min
	C	30 min, moyenne	30 min*
	D	1 min, rapide + 4 min, lente x 5 =	25 min
3	A	4 min, moyenne + 1 min, lente x 7 =	35 min
	B	4 min, moyenne + 1 min, lente x 7 =	35 min
	C	35 min, moyenne	35 min*
	D	1 min, rapide + 4 min, lente x 6 =	30 min
4	A	4 min, moyenne + 1 min, lente x 7 =	35 min
	B	35 min, moyenne	35 min
	C	1 min, rapide + 4 min, lente x 7 =	35 min*
	D	2 min, rapide + 3 min, lente x 6 =	30 min
5	A	4 min, moyenne + 1 min, lente x 8 =	40 min
	B	4 min, moyenne + 1 min, lente x 8 =	40 min
	C	40 min, moyenne	40 min
	D	1 min, rapide + 4 min, lente x 8 =	40 min*
	E	2 min, rapide + 3 min, lente x 7 =	35 min
6	A	4 min, moyenne + 1 min, lente x 8 =	40 min
	B	40 min, moyenne	40 min
	C	1 min, rapide + 4 min, lente x 8 =	40 min
	D	2 min, rapide + 3 min, lente x 8 =	40 min*
	E	3 min, rapide + 2 min, lente x 7 =	35 min
7	A	4 min, moyenne + 1 min, lente x 8 =	40 min
	B	40 min, moyenne	40 min
	C	1 min, rapide + 4 min, lente x 8 =	40 min
	D	2 min, rapide + 3 min, lente x 8 =	40 min*
	E	3 min, rapide + 2 min, lente x 7 =	35 min

Exemple explicatif: la première semaine, faites du vélo trois jours (non consécutifs). Le premier jour (A), pédalez 4 minutes à vitesse moyenne, puis 1 minute à rythme lent. Faites cet exercice 5 fois, pour un total de 25 minutes. Ensuite, faites une coche.

SEMAINE	✓ JOUR	VITESSE	DURÉE TOTALE**
8	A	40 min, moyenne	40 min
	B	1 min, rapide + 4 min, lente x 8 =	40 min
	C	2 min, rapide + 3 min, lente x 8 =	40 min
	D	3 min, rapide + 2 min, lente x 8 =	40 min*
	E	4 min, rapide + 1 min, lente x 7 =	35 min
9	A	40 min, moyenne	40 min
	B	1 min, rapide + 4 min, lente x 8 =	40 min
	C	2 min, rapide + 3 min, lente x 8 =	40 min
	D	3 min, rapide + 2 min, lente x 8 =	40 min*
	E	4 min, rapide + 1 min, lente x 7 =	35 min
10	A	1 min, rapide + 4 min, lente x 9 =	45 min
	B	2 min, rapide + 3 min, lente x 9 =	45 min
	C	3 min, rapide + 2 min, lente x 9 =	45 min
	D	4 min, rapide + 1 min, lente x 9 =	45 min*
	E	40 min, rapide	40 min
11	A	1 min, rapide + 4 min, lente x 9 =	45 min
	B	2 min, rapide + 3 min, lente x 9 =	45 min
	C	3 min, rapide + 2 min, lente x 9 =	45 min
	D	4 min, rapide + 1 min, lente x 9 =	45 min*
	E	40 min, rapide	40 min
12	A	2 min, rapide + 3 min, lente x 9 =	45 min
	B	3 min, rapide + 2 min, lente x 9 =	45 min
	C	4 min, rapide + 1 min, lente x 9 =	45 min
	D	45 min, rapide	45 min*
	E	40 min, rapide	40 min
13	A	2 min, rapide + 3 min, lente x 9 =	45 min
	B	3 min, rapide + 2 min, lente x 9 =	45 min
	C	4 min, rapide + 1 min, lente x 9 =	45 min
	D	45 min, rapide	45 min*
	E	40 min, rapide	40 min

Bicyclette stationnaire

Au niveau du conditionnement physique, la bicyclette stationnaire offre les mêmes avantages que la bicyclette de plein air, et permet en plus de faire de l'exercice à l'année longue, chez vous, dans un centre de loisirs ou un club de santé.

Si cette activité vous intéresse, étudiez-en aussi les désavantages. Vous évitez les écarts de température, les désagréments de la circulation et les chiens menaçants. Mais la bicyclette stationnaire est une activité austère; son «parcours» n'offre aucune surprise, aucun paysage à admirer.

Si vous optez pour la bicyclette stationnaire, fixez-vous comme premier objectif un cycle de 13 semaines avant de vous engager plus avant. Si cette activité vous satisfait, continuez. Si votre forme s'est améliorée, mais que l'ennui vous gagne, passez à une autre activité.

La bicyclette stationnaire est à conseiller si:

- ...vous aimez la discipline. La bicyclette stationnaire est bonne pour le conditionnement physique, mais pas particulièrement divertissante. (Le temps passera plus vite si vous lisez, écoutez de la musique ou regardez la télévision pendant l'exercice.)

- ...vous recherchez un programme rapide et pratique. En faisant de l'exercice à la maison, vous ne perdez pas de temps en déplacements.

• ...vous souffrez d'embonpoint ou vous avez des problèmes osseux ou articulaires, qui pourraient être aggravés par des activités pendant lesquelles votre poids est supporté par les jambes.

• ...vous aimez la solitude. On fait peu de rencontres, pendant une balade en bicyclette stationnaire.

Pour bien commencer:

• *Le choix et le réglage de la bicyclette stationnaire.* Toutes les bicyclettes stationnaires sont munies d'accessoires — un odomètre, un indicateur de vitesse, un régulateur de tension. Ce dernier sert à établir votre charge. (Voir ci-dessous.) La selle doit être horizontale et sa hauteur réglable de façon que la jambe soit parfaitement droite lorsque vous appuyez le talon sur la pédale poussée au point le plus éloigné. Ainsi, le genou fléchit légèrement lorsque le bout du pied repose sur la pédale.

• *La charge.* Effectuez l'entraînement au rythme de 70 à 100 tours de pédale à la minute. Réglez la tension à faible, moyenne ou élevée.

Une *charge faible* vous permettra de parler sans arrêt et sans difficulté.

Une *charge moyenne* vous permettra de parler sans grande difficulté.

Une *charge élevée* vous essoufflera un peu et vous pourrez difficilement parler en pédalant.

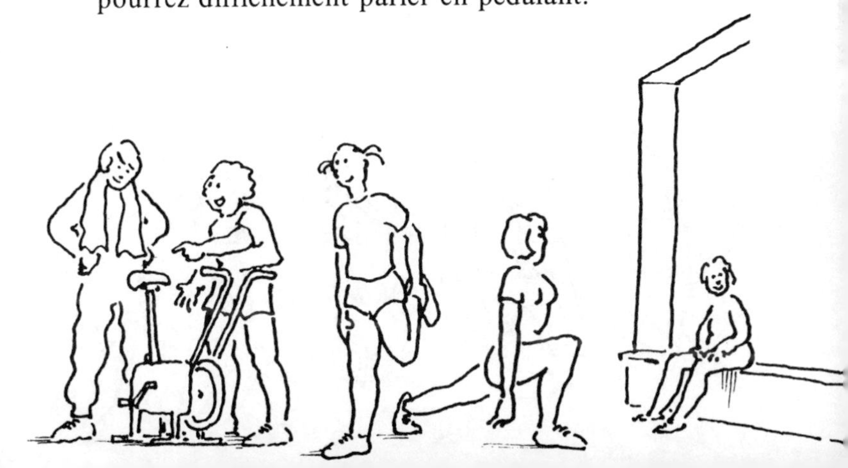

BICYCLETTE STATIONNAIRE, NIVEAU 1

* S'il vous est impossible de faire la dernière séance de la semaine, vous pouvez prolonger cette séance de 5 minutes, et omettre la séance suivante.

** Excluant les périodes d'échauffement et d'assouplissement.

SEMAINE	✔ JOUR	DURÉE ET CHARGE	DURÉE TOTALE**
1	A	10 min, très faible	10 min
	B	10 min, faible	10 min
2	A	10 min, faible	10 min
Exemple:	✔ B	1 min, moyenne + 4 min, faible x 2 =	10 min
3	A	10 min, très faible	10 min
	B	10 min, faible	10 min*
	C	1 min, moyenne + 4 min, faible x 2 =	10 min
4	A	15 min, faible	15 min
	B	1 min, moyenne + 4 min, faible x 3 =	15 min*
	C	2 min, moyenne + 3 min, faible x 2 =	10 min
5	A	15 min, faible	15 min
	B	1 min, moyenne + 4 min, faible x 3 =	15 min*
	C	2 min, moyenne + 3 min, faible x 2 =	10 min
6	A	1 min, moyenne + 4 min, faible x 3 =	15 min
	B	2 min, moyenne + 3 min, faible x 3 =	15 min*
	C	3 min, moyenne + 2 min, faible x 2 =	10 min
7	A	1 min, moyenne + 4 min, faible x 3 =	15 min
	B	2 min, moyenne + 3 min, faible x 3 =	15 min*
	C	3 min, moyenne + 2 min, faible x 2 =	10 min

Exemple explicatif: la deuxième semaine, faites de l'exercice deux jours (non consécutifs). Le deuxième jour (B), pédalez 1 minute avec une charge moyenne, puis 4 minutes à faible charge. Faites cet exercice 2 fois, pour un total de 10 minutes. Ensuite, faites une coche.

SEMAINE	✓ JOUR	DURÉE ET CHARGE	DURÉE TOTALE**
8	A	2 min, moyenne + 3 min, faible x 3 =	15 min
	B	3 min, moyenne + 2 min, faible x 3 =	15 min*
	C	4 min, moyenne + 1 min, faible x 2 =	10 min
9	A	2 min, moyenne + 3 min, faible x 3 =	15 min
	B	3 min, moyenne + 2 min, faible x 3 =	15 min*
	C	4 min, moyenne + 1 min, faible x 2 =	10 min
10	A	3 min, moyenne + 2 min, faible x 3 =	15 min
	B	4 min, moyenne + 1 min, faible x 3 =	15 min*
	C	10 min, moyenne	10 min
11	A	3 min, moyenne + 2 min, faible x 3 =	15 min
	B	4 min, moyenne + 1 min, faible x 3 =	15 min*
	C	10 min, moyenne	10 min
12	A	4 min, moyenne + 1 min, faible x 3 =	15 min
	B	15 min, moyenne	15 min*
	C	10 min, moyenne	10 min
13	A	4 min, moyenne + 1 min, faible x 3 =	15 min
	B	15 min, moyenne	15 min*
	C	10 min, moyenne	10 min

BICYCLETTE STATIONNAIRE, NIVEAU 2

* S'il vous est impossible de faire la dernière séance de la semaine, vous pouvez prolonger cette séance de 5 minutes, et omettre la séance suivante.

** Excluant les périodes d'échauffement et d'assouplissement.

SEMAINE	✔ JOUR	DURÉE ET CHARGE	DURÉE TOTALE**
1 Exemple:	✔A	2 min, moyenne + 3 min, faible x 3 =	15 min
	B	3 min, moyenne + 2 min, faible x 3 =	15 min
2	A	2 min, moyenne + 3 min, faible x 3 =	15 min
	B	3 min, moyenne + 2 min, faible x 3 =	15 min*
	C	4 min, moyenne + 1 min, faible x 3 =	15 min
3	A	2 min, moyenne + 3 min, faible x 3 =	15 min
	B	3 min, moyenne + 2 min, faible x 3 =	15 min*
	C	4 min, moyenne + 1 min, faible x 3 =	15 min
4	A	3 min, moyenne + 2 min, faible x 4 =	20 min
	B	4 min, moyenne + 1 min, faible x 4 =	20 min*
	C	15 min, moyenne	15 min
5	A	2 min, moyenne + 3 min, faible x 4 =	20 min
	B	3 min, moyenne + 2 min, faible x 4 =	20 min
	C	4 min, moyenne + 1 min, faible x 4 =	20 min*
	D	15 min, moyenne	15 min
6	A	3 min, moyenne + 2 min, faible x 4 =	20 min
	B	4 min, moyenne + 1 min, faible x 4 =	20 min
	C	20 min, moyenne	20 min*
	D	1 min, forte + 4 min, faible x 3 =	15 min
7	A	3 min, moyenne + 2 min, faible x 4 =	20 min
	B	4 min, moyenne + 1 min, faible x 4 =	20 min
	C	20 min, moyenne	20 min*
	D	1 min, forte + 4 min, faible x 3 =	15 min

Exemple explicatif: la première semaine, faites de l'exercice deux jours (non consécutifs). Le premier jour (A), pédalez 2 minutes avec une charge moyenne, puis 3 minutes à faible charge. Faites cet exercice 3 fois, pour un total de 15 minutes. Ensuite, faites une coche.

SEMAINE	✓ JOUR	DURÉE ET CHARGE	DURÉE TOTALE**
8	A	4 min, moyenne + 1 min, faible x 4 =	20 min
	B	20 min, moyenne	20 min
	C	1 min, forte + 4 min, faible x 4 =	20 min*
	D	2 min, forte + 3 min, faible x 3 =	15 min
9	A	4 min, moyenne + 1 min, faible x 4 =	20 min
	B	20 min, moyenne	20 min
	C	1 min, forte + 4 min, faible x 4 =	20 min*
	D	2 min, forte + 3 min, faible x 3 =	15 min
10	A	20 min, moyenne	20 min
	B	1 min, forte + 4 min, faible x 4 =	20 min
	C	2 min, forte + 3 min, faible x 4 =	20 min*
	D	3 min, forte + 2 min, faible x 3 =	15 min
11	A	20 min, moyenne	20 min
	B	1 min, forte + 4 min, faible x 4 =	20 min
	C	2 min, forte + 3 min, faible x 4 =	20 min*
	D	3 min, forte + 2 min, faible x 3 =	15 min
12	A	1 min, forte + 4 min, faible x 4 =	20 min
	B	2 min, forte + 3 min, faible x 4 =	20 min
	C	3 min, forte + 2 min, faible x 4 =	20 min*
	D	3 min, forte + 2 min, faible x 3 =	15 min
13	A	1 min, forte + 4 min, faible x 4 =	20 min
	B	2 min, forte + 3 min, faible x 4 =	20 min
	C	3 min, forte + 2 min, faible x 4 =	20 min*
	D	3 min, forte + 2 min, faible x 3 =	15 min

BICYCLETTE STATIONNAIRE, NIVEAU 3

* S'il vous est impossible de faire la dernière séance de la semaine, vous pouvez prolonger cette séance de 5 minutes, et omettre la séance suivante.

** Excluant les périodes d'échauffement et d'assouplissement.

SEMAINE	✓ JOUR	DURÉE ET CHARGE	DURÉE TOTALE**
1 Exemple:	✓A	4 min, moyenne + 1 min, faible x 4 =	20 min
	B	4 min, moyenne + 1 min, faible x 4 =	20 min*
	C	20 min, moyenne	20 min
2	A	4 min, moyenne + 1 min, faible x 4 =	20 min
	B	4 min, moyenne + 1 min, faible x 4 =	20 min*
	C	20 min, moyenne	20 min
	D	1 min, forte + 4 min, faible x 4 =	20 min
3	A	4 min, moyenne + 1 min, faible x 4 =	20 min
	B	4 min, moyenne + 1 min, faible x 4 =	20 min
	C	20 min, moyenne	20 min*
	D	1 min, forte + 4 min, faible x 4 =	20 min
4	A	4 min, moyenne + 1 min, faible x 5 =	25 min
	B	25 min, moyenne	25 min
	C	1 min, forte + 4 min, faible x 5 =	25 min*
	D	2 min, forte + 3 min, faible x 4 =	20 min
5	A	4 min, moyenne + 1 min, faible x 5 =	25 min
	B	4 min, moyenne + 1 min, faible x 5 =	25 min
	C	25 min, moyenne	25 min
	D	1 min, forte + 4 min, faible x 5 =	25 min*
	E	2 min, forte + 3 min, faible x 4 =	20 min
6	A	4 min, moyenne + 1 min, faible x 5 =	25 min
	B	25 min, moyenne	25 min
	C	1 min, forte + 4 min, faible x 5 =	25 min
	D	2 min, forte + 3 min, faible x 5 =	25 min*
	E	3 min, forte + 2 min, faible x 4 =	20 min
7	A	4 min, moyenne + 1 min, faible x 5 =	25 min
	B	25 min, moyenne	25 min
	C	1 min, forte + 4 min, faible x 5 =	25 min
	D	2 min, forte + 3 min, faible x 5 =	25 min*
	E	3 min, forte + 2 min, faible x 4 =	20 min

Exemple explicatif: la première semaine, faites de l'exercice trois jours (non consécutifs). Le premier jour (A), pédalez 4 minutes avec une charge moyenne, puis 1 minute à faible charge. Faites cet exercice 4 fois, pour un total de 20 minutes. Ensuite, faites une coche.

SEMAINE	✔ JOUR	DURÉE ET CHARGE		DURÉE TOTALE**
8	A	25 min, moyenne		25 min
	B	1 min, forte	+ 4 min, faible x 5 =	25 min
	C	2 min, forte	+ 3 min, faible x 5 =	25 min
	D	3 min, forte	+ 2 min, faible x 5 =	25 min*
	E	4 min, forte	+ 1 min, faible x 4 =	20 min
9	A	25 min, moyenne		25 min
	B	1 min, forte	+ 4 min, faible x 5 =	25 min
	C	2 min, forte	+ 3 min, faible x 5 =	25 min
	D	3 min, forte	+ 2 min, faible x 5 =	25 min*
	E	4 min, forte	+ 1 min, faible x 4 =	20 min
10	A	1 min, forte	+ 4 min, faible x 5 =	25 min
	B	2 min, forte	+ 3 min, faible x 5 =	25 min
	C	3 min, forte	+ 2 min, faible x 5 =	25 min
	D	4 min, forte	+ 1 min, faible x 5 =	25 min*
	E	20 min, forte		20 min
11	A	1 min, forte	+ 4 min, faible x 5 =	25 min
	B	2 min, forte	+ 3 min, faible x 5 =	25 min
	C	3 min, forte	+ 2 min, faible x 5 =	25 min
	D	4 min, forte	+ 1 min, faible x 5 =	25 min*
	E	20 min, forte		20 min
12	A	2 min, forte	+ 3 min, faible x 5 =	25 min
	B	3 min, forte	+ 2 min, faible x 5 =	25 min
	C	4 min, forte	+ 1 min, faible x 5 =	25 min
	D	25 min, forte		25 min*
	E	20 min, forte		20 min
13	A	2 min, forte	+ 3 min, faible x 5 =	25 min
	B	3 min, forte	+ 2 min, faible x 5 =	25 min
	C	4 min, forte	+ 1 min, faible x 5 =	25 min
	D	25 min, forte		25 min*
	E	20 min, forte		20 min

Natation

La natation est une des meilleures activités de conditionnement physique. En plus de ses avantages aérobiques, elle améliore la force et la souplesse des muscles des épaules, des bras, du dos et des jambes. Si vous avez accès à une piscine intérieure, vous pouvez nager toute l'année. Ses mouvements doux et réguliers limitent les risques de blessure.

Certaines personnes sont limitées à ce seul exercice. Beaucoup d'asthmatiques l'apprécient. La natation convient aux personnes qui souffrent d'embonpoint, l'eau offrant un support à leur corps; elle convient également à celles qui ont des problèmes osseux ou articulaires (l'arthrite, par exemple), que d'autres exercices pourraient aggraver.

La plupart des centres sportifs et des clubs de santé sont équipés d'une piscine intérieure, de même que beaucoup d'immeubles d'appartements.

La natation est à conseiller si:

- ...vous avez accès à une piscine et si le droit d'entrée ou le coût de l'abonnement convient à votre budget.

- ...les heures d'ouverture de la piscine coïncident à votre horaire et si vous appréciez une activité solitaire — difficile de faire la conversation en nageant!

Pour bien commencer:

- *Le maillot de bain.* Le maillot de nylon sèche rapidement, et convient parfaitement. Le maillot de lycra (ou de lycra et nylon), plus coûteux et utilisé pour la compétition, n'offre aucun avantage particulier pour le nageur moyen.

• *Les lunettes et les bouche-oreille.* Les lunettes diminuent l'irritation causée par le chlore. Elles doivent être parfaitement ajustées autour des yeux.

Les règles de la santé publique exigent que les piscines soient constamment entretenues. Les risques d'infection des oreilles sont donc limités. Mais si vos oreilles sont particulièrement sensibles, utilisez des bouche-oreille.

• *Les types de nage.* La brasse, la nage sur le côté et la nage simple sur le dos sont souvent appelées des «nages de repos»; vous glissez dans l'eau pendant une partie du mouvement. Le crawl sur le ventre ou sur le dos et la nage papillon sont plus exigeants.

Utilisez le type de nage qui convient à votre niveau de condition physique et vous permet de progresser selon le tableau que vous suivez. Les débutants ont intérêt à combiner «nages de repos» et nages plus difficiles. Par la suite, ils peuvent utiliser différents types de nage pour rendre leurs séances d'entraînement plus agréables.

Si vous pratiquez la brasse, assurez-vous de bien faire le mouvement de coup de fouet des jambes; pour éviter de mettre trop de pression sur l'intérieur des genoux, consultez un professeur de natation si vous avez des questions ou des problèmes.

Attention!

Ne nagez jamais seul, même dans une piscine.

Redoublez de prudence lorsque vous nagez dans l'océan, dans un lac ou dans une rivière. Lorsque vous nagez sur une longue distance en eau profonde ou loin du rivage, faites-vous escorter par une embarcation. Si l'embarcation est motorisée, nagez loin de l'hélice, qui devrait être munie d'une grille de protection.

Ne prenez aucun risque dans l'eau ni près de l'eau, en particulier en présence de jeunes enfants.

NATATION, NIVEAU 1

* S'il vous est impossible de faire la dernière séance de la semaine, vous pouvez prolonger cette séance de 5 minutes, et omettre la séance suivante.

** Excluant les périodes d'échauffement et d'assouplissement.

SEMAINE	✓ JOUR	DURÉE TOTALE**	NOMBRE DE LONGUEURS PAR SÉRIE, & RYTHME	PAUSE ENTRE SÉRIES
1 Exemple:	A ✓	10 min	1, lent	30 sec
	B	10 min	1, lent	20 sec
2	A	15 min	1, lent	20 sec
	B	10 min	1, lent	10 sec
3	A	15 min	1, lent	20 sec
	B	15 min	1, lent	10 sec*
	C	10 min	2, lent	20 sec
4	A	15 min	1, lent	20 sec
	B	15 min	1, lent	10 sec*
	C	10 min	2, lent	20 sec
5	A	15 min	1, lent	10 sec
	B	15 min	2, lent	20 sec*
	C	10 min	2, lent	10 sec
6	A	15 min	2, lent	20 sec
	B	15 min	2, lent	10 sec*
	C	10 min	4, lent	30 sec
7	A	20 min	2, lent	10 sec
	B	20 min	4, lent	30 sec*
	C	15 min	4, lent	20 sec

Exemple explicatif: la première semaine, faites de l'exercice deux jours (non consécutifs). Le premier jour (A), nagez une longueur à rythme lent, puis faites une pause de 30 secondes en vous appuyant sur le bord de la piscine. Continuez de cette manière pendant 10 minutes. Ensuite, faites une coche. Si la piscine mesure moins de 25 verges ou 25 mètres, faites les changements nécessaires.

SEMAINE	✓ JOUR	DURÉE TOTALE**	NOMBRE DE LONGUEURS PAR SÉRIE, & RYTHME	PAUSE ENTRE SÉRIES
8	A	20 min	2, lent	10 sec
	B	20 min	4, lent	30 sec *
	C	15 min	4, lent	20 sec
9	A	20 min	4, lent	30 sec
	B	20 min	4, lent	20 sec *
	C	15 min	4, lent	10 sec
10	A	20 min	4, lent	20 sec
	B	20 min	4, lent	10 sec *
	C	15 min	sans arrêt, lent	aucune
11	A	20 min	4, lent	10 sec
	B	20 min	sans arrêt, lent	aucune*
	C	15 min	1, moyen + 3, lent	aucune
12	A	20 min	4, lent	10 sec
	B	20 min	sans arrêt, lent	aucune*
	C	15 min	1, moyen + 3, lent	aucune
13	A	20 min	sans arrêt, lent	aucune
	B	20 min	1, moyen + 3, lent	aucune*
	C	15 min	1, moyen + 3, lent	aucune

NATATION, NIVEAU 2

* S'il vous est impossible de faire la dernière séance de la semaine, vous pouvez prolonger cette séance de 5 minutes, et omettre la séance suivante.

** Excluant les périodes d'échauffement et d'assouplissement.

SEMAINE	✓ JOUR	DURÉE TOTALE**	NOMBRE DE LONGUEURS PAR SÉRIE, & RYTHME	PAUSE ENTRE SÉRIES
1 Exemple:	A ✓	15 min	2, lent	10 sec
	B	15 min	4, lent	30 sec
2	A	20 min	2, lent	10 sec
	B	20 min	4, lent	30 sec *
	C	15 min	4, lent	20 sec
3	A	20 min	4, lent	30 sec
	B	20 min	4, lent	20 sec *
	C	15 min	4, lent	10 sec
4	A	20 min	4, lent	30 sec
	B	20 min	4, lent	20 sec *
	C	15 min	4, lent	10 sec
5	A	20 min	4, lent	30 sec
	B	20 min	4, lent	20 sec
	C	20 min	4, lent	10 sec *
	D	15 min	sans arrêt, lent	aucune
6	A	20 min	4, lent	20 sec
	B	20 min	4, lent	10 sec
	C	20 min	sans arrêt, lent	aucune*
	D	15 min	1, moyen + 3, lent	aucune
7	A	25 min	4, lent	10 sec
	B	25 min	sans arrêt, lent	aucune
	C	25 min	1, moyen + 3, lent	aucune*
	D	20 min	1, moyen + 2, lent	aucune

Exemple explicatif: la première semaine, faites de l'exercice deux jours (non consécutifs). Le premier jour (A), nagez deux longueurs à rythme lent, puis faites une pause de 10 secondes en vous appuyant sur le bord de la piscine. Continuez de cette manière pendant 15 minutes. Ensuite, faites une coche. Si la piscine mesure moins de 25 verges ou 25 mètres, faites les changements nécessaires.

SEMAINE	☑ JOUR	DURÉE TOTALE**	NOMBRE DE LONGUEURS PAR SÉRIE, & RYTHME	PAUSE ENTRE SÉRIES
8	A	25 min	4, lent	10 sec
	B	25 min	sans arrêt, lent	aucune
	C	25 min	1, moyen + 3, lent	aucune*
	D	20 min	1, moyen + 2, lent	aucune
9	A	25 min	sans arrêt, lent	aucune
	B	25 min	1, moyen + 3, lent	aucune
	C	25 min	1, moyen + 2, lent	aucune*
	D	20 min	1, moyen + 1, lent	aucune
10	A	25 min	1, moyen + 3, lent	aucune
	B	25 min	1, moyen + 2, lent	aucune
	C	25 min	1, moyen + 1, lent	aucune*
	D	20 min	sans arrêt, moyen	aucune
11	A	25 min	1, moyen + 2, lent	aucune
	B	25 min	1, moyen + 1, lent	aucune
	C	25 min	sans arrêt, moyen	aucune*
	D	20 min	1, rapide + 3, lent	aucune
12	A	25 min	1, moyen + 2, lent	aucune
	B	25 min	1, moyen + 1, lent	aucune
	C	25 min	sans arrêt, moyen	aucune*
	D	20 min	1, rapide + 3, lent	aucune
13	A	25 min	1, moyen + 1, lent	aucune
	B	25 min	sans arrêt, moyen	aucune
	C	25 min	1, rapide + 3, lent	aucune*
	D	20 min	1, rapide + 3, lent	aucune

NATATION, NIVEAU 3

* S'il vous est impossible de faire la dernière séance de la semaine, vous pouvez prolonger cette séance de 5 minutes, et omettre la séance suivante.

** Excluant les périodes d'échauffement et d'assouplissement.

SEMAINE	✓ JOUR	DURÉE TOTALE**	NOMBRE DE LONGUEURS PAR SÉRIE, & RYTHME	
1	A	20 min	sans arrêt, lent	
	B	20 min	sans arrêt, lent	*
Exemple:	✓C	20 min	1, moyen + 3, lent	
2	A	25 min	sans arrêt, lent	
	B	25 min	sans arrêt, lent	
	C	25 min	1, moyen + 3, lent	*
	D	20 min	1, moyen + 2, lent	
3	A	25 min	sans arrêt, lent	
	B	25 min	1, moyen + 3, lent	
	C	25 min	1, moyen + 2, lent	*
	D	20 min	1, moyen + 1, lent	
4	A	25 min	1, moyen + 3, lent	
	B	25 min	1, moyen + 2, lent	
	C	25 min	1, moyen + 1, lent	*
	D	20 min	sans arrêt, moyen	
5	A	25 min	sans arrêt, lent	
	B	25 min	1, moyen + 3, lent	
	C	25 min	1, moyen + 2, lent	
	D	25 min	1, moyen + 1, lent	*
	E	20 min	sans arrêt, moyen	
6	A	25 min	1, moyen + 3, lent	
	B	25 min	1, moyen + 2, lent	
	C	25 min	1, moyen + 1, lent	
	D	25 min	sans arrêt, moyen	*
	E	20 min	1, rapide + 3, lent	
7	A	30 min	1, moyen + 2, lent	
	B	30 min	1, moyen + 1, lent	
	C	30 min	sans arrêt, moyen	
	D	30 min	1, rapide + 3, lent	*
	E	25 min	1, rapide + 2, lent	

Exemple explicatif: la première semaine, faites de l'exercice trois jours (non consécutifs). Le troisième jour (C), nagez une longueur à rythme moyen, puis trois longueurs à rythme lent. Continuez de cette manière pendant 20 minutes. Ensuite, faites une coche. Si la piscine mesure moins de 25 verges ou 25 mètres, faites les changements nécessaires.

SEMAINE	✓ JOUR	DURÉE TOTALE**	NOMBRE DE LONGUEURS PAR SÉRIE, & RYTHME
8	A	30 min	1, moyen + 1, lent
	B	30 min	sans arrêt, moyen
	C	30 min	1, rapide + 3, lent
	D	30 min	1, rapide + 2, lent *
	E	25 min	1, rapide + 1, lent
9	A	30 min	sans arrêt, moyen
	B	30 min	1, rapide + 3, lent
	C	30 min	1, rapide + 2, lent
	D	30 min	1, rapide + 1, lent *
	E	25 min	2, rapide + 1, lent
10	A	30 min	1, rapide + 3, lent
	B	30 min	1, rapide + 2, lent
	C	30 min	1, rapide + 1, lent
	D	30 min	2, rapide + 1, lent *
	E	25 min	3, rapide + 1, lent
11	A	30 min	1, rapide + 3, lent
	B	30 min	1, rapide + 2, lent
	C	30 min	1, rapide + 1, lent
	D	30 min	2, rapide + 1, lent *
	E	25 min	3, rapide + 1, lent
12	A	30 min	1, rapide + 2, lent
	B	30 min	1, rapide + 1, lent
	C	30 min	2, rapide + 1, lent
	D	30 min	3, rapide + 1, lent *
	E	25 min	sans arrêt, rapide
13	A	30 min	1, rapide + 1, lent
	B	30 min	2, rapide + 1, lent
	C	30 min	3, rapide + 1, lent
	D	30 min	sans arrêt, rapide *
	E	25 min	sans arrêt, rapide

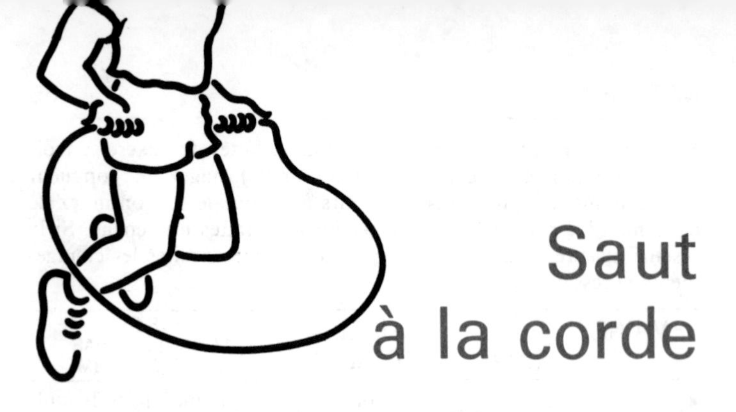

Saut à la corde

Le saut à la corde offre tous les avantages de la bicyclette stationnaire. De plus, cet exercice est «transportable». Muni d'une corde et de votre guide EXPRES, vous vous entraînez là où vous le voulez.

Il s'agit d'une activité potentiellement exigeante. Après avoir maîtrisé les mouvements de base et amélioré quelque peu votre condition physique, vous pouvez apprendre divers pas et développer beaucoup d'adresse.

Cet exercice amusant n'est pas réservé aux fillettes. Les boxeurs et beaucoup d'athlètes l'incluent dans leur entraînement.

Le saut à la corde est à conseiller si:

• ...vous cherchez un programme rapide et commode. On peut le pratiquer n'importe où, à n'importe quel moment.

• ...vous cherchez le maximum de bienfaits pour le minimum d'investissement. Une paire de souliers de course et une corde coûtent peu et rapportent beaucoup!

Pour bien commencer:

• *Les chaussures.* Utilisez de bons souliers de course, légers et solides, munis d'une semelle épaisse et d'un soutien suffisant autour du talon, pour plus de stabilité. Ils devraient être souples sous la cambrure, mais bien ajustés. Essayez *les deux* chaussures avant de les acheter.

• *La corde.* Une corde à linge ou une corde de plastique avec ou sans poignées peut servir de corde à sauter. La corde de nylon couverte de petits cylindres de plastique constitue un bon achat. Ce type de corde tourne sans heurt à faible vitesse, et facilite l'apprentissage de nouveaux pas.

Coupez la corde ou attachez-en les poignées de façon à ce que les extrémités touchent vos aisselles si vous vous tenez debout au milieu de la corde.

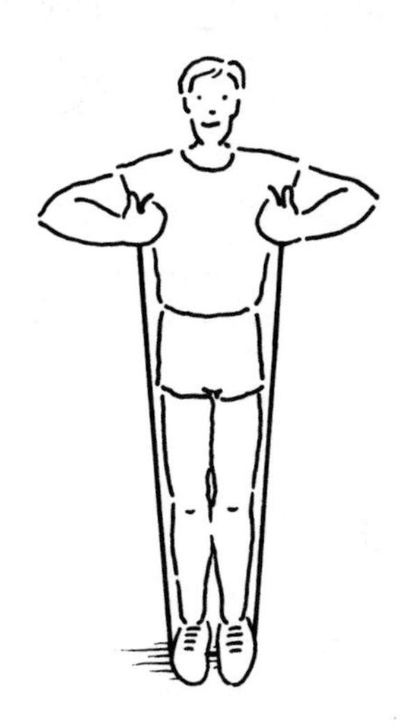

• *La technique.* Les épaules doivent rester détendues et les coudes près des côtés. Gardez les avant-bras loin des côtés, et les mains un peu au-dessous du niveau de la taille. Les mains doivent faire des petits cercles pour faire tourner la corde, tandis que les bras restent presque immobiles.

Tournez la corde à un rythme confortable et sautez à la hauteur qui vous fait passer juste par-dessus de la corde. Sautillez sur l'avant du pied, les talons ne touchant le sol que de temps à autre. Relâchez et pliez les genoux légèrement à chaque saut.

Pratiquez cet exercice sur une surface plate, uniforme et de niveau, loin des meubles. Assurez-vous de disposer d'un espace suffisant au-dessus de la tête.

SAUT À LA CORDE, NIVEAU 1

* S'il vous est impossible de faire la dernière séance de la semaine, vous pouvez prolonger cette séance de 5 minutes, et omettre la séance suivante.

** Excluant les périodes d'échauffement et d'assouplissement.

SEMAINE	✔ JOUR	SAUT À LA CORDE	PAUSE À CHAQUE SÉRIE		DURÉE TOTALE**
1 Exemple:	✔A	10 sec, lent	+ 50 sec	x 5 =	5 min
	B	20 sec, lent	+ 40 sec	x 5 =	5 min
2	A	20 sec, lent	+ 40 sec	x 5 =	5 min
	B	30 sec, lent	+ 30 sec	x 5 =	5 min
3	A	10 sec, lent	+ 50 sec	x 5 =	5 min
	B	20 sec, lent	+ 40 sec	x 5 =	5 min*
	C	30 sec, lent	+ 30 sec	x 5 =	5 min
4	A	20 sec, lent	+ 40 sec	x 10 =	10 min
	B	30 sec, lent	+ 30 sec	x 10 =	10 min*
	C	45 sec, lent	+ 15 sec	x 5 =	5 min
5	A	20 sec, lent	+ 40 sec	x 10 =	10 min
	B	30 sec, lent	+ 30 sec	x 10 =	10 min*
	C	45 sec, lent	+ 15 sec	x 5 =	5 min
6	A	30 sec, lent	+ 30 sec	x 10 =	10 min
	B	45 sec, lent	+ 15 sec	x 10 =	10 min*
	C	2 min, lent	+ 30 sec	x 2 =	5 min
7	A	30 sec, lent	+ 30 sec	x 10 =	10 min
	B	45 sec, lent	+ 15 sec	x 10 =	10 min*
	C	2 min, lent	+ 30 sec	x 2 =	5 min

Exemple explicatif: la première semaine, faites de l'exercice deux jours (non consécutifs). Le premier jour (A), faites 10 secondes de saut à rythme lent, puis une pause de 50 secondes. Faites cet exercice 5 fois, pour un total de 5 minutes. Ensuite, faites une coche.

SEMAINE	✓ JOUR	SAUT À LA CORDE	PAUSE À CHAQUE SÉRIE	DURÉE TOTALE**
8	A	45 sec, lent	+ 15 sec x 10 =	10 min
	B	2 min, lent	+ 30 sec x 4 =	10 min*
	C	5 min, très lent	aucune	5 min
9	A	45 sec, lent	+ 15 sec x 10 =	10 min
	B	2 min, lent	+ 30 sec x 4 =	10 min*
	C	5 min, très lent	aucune	5 min
10	A	2 min, lent	+ 30 sec x 4 =	10 min
	B	4 min 30 sec, lent	+ 30 sec x 2 =	10 min*
	C	5 min, très lent	aucune	5 min
11	A	2 min, lent	+ 30 sec x 4 =	10 min
	B	4 min 30 sec, lent	+ 30 sec x 2 =	10 min*
	C	5 min, très lent	aucune	5 min
12	A	4 min 30 sec, lent	+ 30 sec x 2 =	10 min
	B	10 min, très lent	aucune	10 min*
	C	5 min, très lent	aucune	5 min
13	A	4 min 30 sec, lent	+ 30 sec x 2 =	10 min
	B	10 min, très lent	aucune	10 min*
	C	5 min, très lent	aucune	5 min

SAUT À LA CORDE, NIVEAU 2

* S'il vous est impossible de faire la dernière séance de la semaine, vous pouvez prolonger cette séance de 5 minutes, et omettre la séance suivante.

** Excluant les périodes d'échauffement et d'assouplissement.

SEMAINE	✓ JOUR	SAUT À LA CORDE	PAUSE À CHAQUE SÉRIE	DURÉE TOTALE**
1 Exemple:	A ✓	45 sec, lent	+ 15 sec x 10 =	10 min
	B	2 min, lent	+ 30 sec x 4 =	10 min
2	A	45 sec, lent	+ 15 sec x 10 =	10 min
	B	2 min, lent	+ 30 sec x 4 =	10 min*
	C	4 min 30 sec, lent	+ 30 sec x 2 =	10 min
3	A	45 sec, lent	+ 15 sec x 10 =	10 min
	B	2 min, lent	+ 30 sec x 4 =	10 min*
	C	4 min 30 sec, lent	+ 30 sec x 2 =	10 min
4	A	2 min, lent	+ 30 sec x 6 =	15 min
	B	4 min 30 sec, lent	+ 30 sec x 3 =	15 min*
	C	10 min, très lent	aucune	10 min
5	A	45 sec, lent	+ 15 sec x 15 =	15 min
	B	2 min, lent	+ 30 sec x 6 =	15 min
	C	4 min 30 sec, lent	+ 30 sec x 3 =	15 min*
	D	10 min, très lent	aucune	10 min
6	A	2 min, lent	+ 30 sec x 6 =	15 min
	B	4 min 30 sec, lent	+ 30 sec x 3 =	15 min
	C	15 min, très lent	aucune	15 min*
	D	10 min, lent	aucune	10 min
7	A	2 min, lent	+ 30 sec x 6 =	15 min
	B	4 min 30 sec, lent	+ 30 sec x 3 =	15 min
	C	15 min, très lent	aucune	15 min*
	D	10 min, lent	aucune	10 min

Exemple explicatif: la première semaine, faites de l'exercice deux jours (non consécutifs). Le premier jour (A), faites 45 secondes de saut à rythme lent, puis une pause de 15 secondes. Faites cet exercice 10 fois, pour un total de 10 minutes. Ensuite, faites une coche.

SEMAINE	☑ JOUR	SAUT À LA CORDE	(PAUSE)	DURÉE TOTALE**
8	A	4 min 30 sec, lent	(+ 30 sec) x 3 =	15 min
	B	15 min, très lent	aucune	15 min
	C	15 min, lent	aucune	15 min*
	D	1 min, moyen	+ 4 min, lent x 2 =	10 min
9	A	4 min 30 sec, lent	(+ 30 sec) x 3 =	15 min
	B	15 min, très lent	aucune	15 min
	C	15 min, lent	aucune	15 min*
	D	1 min, moyen	+ 4 min, lent x 2 =	10 min
10	A	15 min, très lent	aucune	15 min
	B	15 min, lent	aucune	15 min
	C	1 min, moyen	+ 4 min, lent x 3 =	15 min*
	D	2 min, moyen	+ 3 min, lent x 2 =	10 min
11	A	15 min, très lent	aucune	15 min
	B	15 min, lent	aucune	15 min
	C	1 min, moyen	+ 4 min, lent x 3 =	15 min*
	D	2 min, moyen	+ 3 min, lent x 2 =	10 min
12	A	15 min, lent	aucune	15 min
	B	1 min, moyen	+ 4 min, lent x 3 =	15 min
	C	2 min, moyen	+ 3 min, lent x 3 =	15 min*
	D	2 min, moyen	+ 3 min, lent x 2 =	10 min
13	A	15 min, lent	aucune	15 min
	B	1 min, moyen	+ 4 min, lent x 3 =	15 min
	C	2 min, moyen	+ 3 min, lent x 3 =	15 min*
	D	2 min, moyen	+ 3 min, lent x 2 =	10 min

SAUT À LA CORDE, NIVEAU 3

* S'il vous est impossible de faire la dernière séance de la semaine, vous pouvez prolonger cette séance de 5 minutes, et omettre la séance suivante.

** Excluant les périodes d'échauffement et d'assouplissement.

SEMAINE	✓ JOUR	SAUT À LA CORDE	DURÉE TOTALE**
1	A	15 min, lent	15 min
	B	15 min, lent	15 min*
Exemple:	✓ C	1 min, moyen + 4 min, lent x 3 =	15 min
2	A	15 min, lent	15 min
	B	15 min, lent	15 min
	C	1 min, moyen + 4 min, lent x 3 =	15 min*
	D	2 min, moyen + 3 min, lent x 3 =	15 min
3	A	15 min, lent	15 min
	B	15 min, lent	15 min
	C	1 min, moyen + 4 min, lent x 3 =	15 min*
	D	2 min, moyen + 3 min, lent x 3 =	15 min
4	A	20 min, lent	20 min
	B	1 min, moyen + 4 min, lent x 4 =	20 min
	C	2 min, moyen + 3 min, lent x 4 =	20 min*
	D	3 min, moyen + 2 min, lent x 3 =	15 min
5	A	20 min, lent	20 min
	B	20 min, lent	20 min
	C	1 min, moyen + 4 min, lent x 4 =	20 min
	D	2 min, moyen + 3 min, lent x 4 =	20 min*
	E	3 min, moyen + 2 min, lent x 3 =	15 min
6	A	20 min, lent	20 min
	B	1 min, moyen + 4 min, lent x 4 =	20 min
	C	2 min, moyen + 3 min, lent x 4 =	20 min
	D	3 min, moyen + 2 min, lent x 4 =	20 min*
	E	4 min, moyen + 1 min, lent x 3 =	15 min
7	A	20 min, lent	20 min
	B	1 min, moyen + 4 min, lent x 4 =	20 min
	C	2 min, moyen + 3 min, lent x 4 =	20 min
	D	3 min, moyen + 2 min, lent x 4 =	20 min*
	E	4 min, moyen + 1 min, lent x 3 =	15 min

Exemple explicatif: la première semaine, faites de l'exercice trois jours (non consécutifs). Le troisième jour (C), faites 1 minute de saut à rythme moyen, puis 4 minutes à rythme lent. Faites cet exercice 3 fois, pour un total de 15 minutes. Ensuite, faites une coche.

SEMAINE	✓ JOUR	SAUT À LA CORDE	DURÉE TOTALE**
8	A	1 min, moyen + 4 min, lent x 4 =	20 min
	B	2 min, moyen + 3 min, lent x 4 =	20 min
	C	3 min, moyen + 2 min, lent x 4 =	20 min
	D	4 min, moyen + 1 min, lent x 4 =	20 min*
	E	15 min, moyen	15 min
9	A	1 min, moyen + 4 min, lent x 4 =	20 min
	B	2 min, moyen + 3 min, lent x 4 =	20 min
	C	3 min, moyen + 2 min, lent x 4 =	20 min
	D	4 min, moyen + 1 min, lent x 4 =	20 min*
	E	15 min, moyen	15 min
10	A	2 min, moyen + 3 min, lent x 4 =	20 min
	B	3 min, moyen + 2 min, lent x 4 =	20 min
	C	4 min, moyen + 1 min, lent x 4 =	20 min
	D	20 min, moyen	20 min*
	E	15 min, rapide	15 min
11	A	2 min, moyen + 3 min, lent x 4 =	20 min
	B	3 min, moyen + 2 min, lent x 4 =	20 min
	C	4 min, moyen + 1 min, lent x 4 =	20 min
	D	20 min, moyen	20 min*
	E	15 min, rapide	15 min
12	A	3 min, moyen + 2 min, lent x 4 =	20 min
	B	4 min, moyen + 1 min, lent x 4 =	20 min
	C	20 min, moyen	20 min
	D	20 min, rapide	20 min*
	E	15 min, rapide	15 min
13	A	3 min, moyen + 2 min, lent x 4 =	20 min
	B	4 min, moyen + 1 min, lent x 4 =	20 min
	C	20 min, moyen	20 min
	D	20 min, rapide	20 min*
	E	15 min, rapide	15 min

Ski de fond

Il y a des coureurs et des marcheurs que la neige n'arrête pas: ils deviennent des adeptes du ski de fond dès les premières semaines de l'hiver.

Pour pratiquer cette excellente activité physique, pas besoin de pentes ni de remonte-pente; un peu de neige suffit. Vous pouvez skier en solitaire ou avec les membres de votre famille et vos amis.

Durant la semaine, le parc le plus proche permet d'effectuer quelques sorties. Durant le week-end, le tour d'un terrain de golf ou une randonnée dans les bois constituent d'agréables excursions.

Le ski de fond est à conseiller si:

- ...vous aimez le plein air et l'hiver.
- ...vous recherchez une activité exigeante et peut-être même un peu de compétition.
- ...vous êtes prêt à investir dans l'équipement nécessaire.

Pour bien commencer:

• *L'équipement.* Choisissez avec soin les skis, les fixations, les chaussures et les bâtons. Il existe un vaste choix de marques et de modèles. Un vendeur compétent, dans une boutique réputée, peut vous aider à faire votre choix. Cet équipement doit convenir au genre de ski que vous pratiquerez.

Si vous n'avez jamais fait de ski de fond, vous pouvez louer de l'équipement pour vos premières sorties. Il vaut mieux vous assurer que la pratique de ce sport vous plaira avant d'y investir trop d'argent.

• *Les vêtements.* Il est préférable de porter plusieurs couches de vêtements minces plutôt qu'un seul vêtement épais. Vous perdez moins de chaleur, et vous vous adaptez plus rapidement aux variations de la température. Vous enlevez une couche pour monter une pente, et la remettez pendant une pause.

Le polypropylène et le polyester sont les meilleures fibres pour isoler la peau du froid et de l'humidité.

La laine constitue une excellente couche intermédiaire. Même mouillée, elle conserve la chaleur et ne retient pas la neige. Certains nouveaux tissus pelucheux ou ouatés sèchent rapidement et vous gardent au chaud, même mouillés. À chaleur égale, les tissus pelucheux sont deux fois moins lourds que la laine.

Les tissus synthétiques — le polyester et la fibre triple (coton, polyester et nylon) — constituent la couche extérieure parfaite. Légers, ils respirent et protègent du vent et de l'eau.

Utilisez des chaussettes légères de polypropylène ou de laine et nylon, sous une paire de bas de laine. Une tuque protégera votre tête même s'il fait très froid.

• *La trousse de secours.* Si vous sortez des sentiers battus, munissez-vous d'un sac à dos contenant une trousse de premiers soins, une spatule de plastique de rechange, des allumettes, une carte de la région, une boussole et un goûter.

Soyez courtois

Seule une conduite courtoise peut rendre le ski de fond agréable et sûr. Si vous skiez dans des pistes entretenues:

- ...skiez toujours dans la voie de droite.
- ...laissez beaucoup de place aux autres. Ne poussez pas dans le dos des skieurs devant vous.
- ...quittez la piste pour faire une pause.
- ...laissez la voie au skieur plus rapide qui crie «piste». Et demandez le passage de la même façon.
- ...remplissez les trous que vous faites dans la piste en tombant.

Attention!

- Vérifiez votre équipement avant chaque départ.
- Évitez les rafraîchissements contenant de l'alcool, car ils causent une plus grande perte de chaleur et la déshydratation.
- Skiez prudemment hors des aires balisées, dans une région sauvage. Vérifiez votre position régulièrement. Ne partez jamais seul.
- Si vous connaissez mal le territoire, revenez sur vos pas au lieu d'accomplir un circuit en boucle.

SKI DE FOND, NIVEAU 1

* S'il vous est impossible de faire la dernière séance de la semaine, vous pouvez prolonger cette séance de 5 minutes, et omettre la séance suivante.

** Excluant les périodes d'échauffement et d'assouplissement.

SEMAINE	✓ JOUR	VITESSE	DURÉE TOTALE**
1	A	15 min, très lente	15 min
	B	15 min, lente	15 min
2	A	20 min, très lente	20 min
Exemple:	B ✓	1 min, moyenne + 4 min, lente x 3 =	15 min
3	A	20 min, très lente	20 min
	B	20 min, lente	20 min *
	C	1 min, moyenne + 4 min, lente x 3 =	15 min
4	A	25 min, lente	25 min
	B	1 min, moyenne + 4 min, lente x 5 =	25 min *
	C	2 min, moyenne + 3 min, lente x 4 =	20 min
5	A	25 min, lente	25 min
	B	1 min, moyenne + 4 min, lente x 5 =	25 min *
	C	2 min, moyenne + 3 min, lente x 4 =	20 min
6	A	1 min, moyenne + 4 min, lente x 5 =	25 min
	B	2 min, moyenne + 3 min, lente x 5 =	25 min *
	C	3 min, moyenne + 2 min, lente x 4 =	20 min
7	A	1 min, moyenne + 4 min, lente x 5 =	25 min
	B	2 min, moyenne + 3 min, lente x 5 =	25 min *
	C	3 min, moyenne + 2 min, lente x 4 =	20 min

Exemple explicatif: la deuxième semaine, entraînez-vous deux jours (non consécutifs). Le deuxième jour (B), skiez à vitesse moyenne pendant 1 minute, puis skiez lentement pendant 4 minutes. Faites cet exercice 3 fois, pour un total de 15 minutes. Ensuite, faites une coche.

SEMAINE	✓ JOUR	VITESSE	DURÉE TOTALE**
8	A	2 min, moyenne + 3 min, lente x 5 =	25 min
	B	3 min, moyenne + 2 min, lente x 5 =	25 min *
	C	4 min, moyenne + 1 min, lente x 4 =	20 min
9	A	2 min, moyenne + 3 min, lente x 6 =	30 min
	B	3 min, moyenne + 2 min, lente x 6 =	30 min *
	C	4 min, moyenne + 1 min, lente x 5 =	25 min
10	A	3 min, moyenne + 2 min, lente x 6 =	30 min
	B	4 min, moyenne + 1 min, lente x 6 =	30 min *
	C	25 min, moyenne	25 min
11	A	3 min, moyenne + 2 min, lente x 6 =	30 min
	B	4 min, moyenne + 1 min, lente x 6 =	30 min *
	C	25 min, moyenne	25 min
12	A	4 min, moyenne + 1 min, lente x 6 =	30 min
	B	30 min, moyenne	30 min *
	C	25 min, moyenne	25 min
13	A	4 min, moyenne + 1 min, lente x 6 =	30 min
	B	30 min, moyenne	30 min *
	C	25 min, moyenne	25 min

SKI DE FOND, NIVEAU 2

* S'il vous est impossible de faire la dernière séance de la semaine, vous pouvez prolonger cette séance de 5 minutes, et omettre la séance suivante.

** Excluant les périodes d'échauffement et d'assouplissement.

SEMAINE	✓ JOUR	VITESSE	DURÉE TOTALE**
1 Exemple:	✓ A	1 min, moyenne + 4 min, lente x 5 =	25 min
	B	2 min, moyenne + 3 min, lente x 5 =	25 min
2	A	1 min, moyenne + 4 min, lente x 6 =	30 min
	B	2 min, moyenne + 3 min, lente x 6 =	30 min *
	C	3 min, moyenne + 2 min, lente x 5 =	25 min
3	A	1 min, moyenne + 4 min, lente x 7 =	35 min
	B	2 min, moyenne + 3 min, lente x 7 =	35 min *
	C	3 min, moyenne + 2 min, lente x 6 =	30 min
4	A	2 min, moyenne + 3 min, lente x 7 =	35 min
	B	3 min, moyenne + 2 min, lente x 7 =	35 min *
	C	4 min, moyenne + 1 min, lente x 6 =	30 min
5	A	1 min, moyenne + 4 min, lente x 8 =	40 min
	B	2 min, moyenne + 3 min, lente x 8 =	40 min
	C	3 min, moyenne + 2 min, lente x 8 =	40 min *
	D	4 min, moyenne + 1 min, lente x 7 =	35 min
6	A	2 min, moyenne + 3 min, lente x 8 =	40 min
	B	3 min, moyenne + 2 min, lente x 8 =	40 min
	C	4 min, moyenne + 1 min, lente x 8 =	40 min *
	D	35 min, moyenne	35 min
7	A	2 min, moyenne + 3 min, lente x 8 =	40 min
	B	3 min, moyenne + 2 min, lente x 8 =	40 min
	C	4 min, moyenne + 1 min, lente x 8 =	40 min *
	D	35 min, moyenne	35 min

Exemple explicatif: la première semaine, entraînez-vous deux jours (non consécutifs). Le premier jour (A), skiez à vitesse moyenne pendant 1 minute, puis skiez lentement pendant 4 minutes. Faites cet exercice 5 fois, pour un total de 25 minutes. Ensuite, faites une coche.

SEMAINE	✓ JOUR	VITESSE		DURÉE TOTALE**
8	A	3 min, moyenne	+ 2 min, lente x 8 =	40 min
	B	4 min, moyenne	+ 1 min, lente x 8 =	40 min
	C	40 min, moyenne		40 min *
	D	1 min, rapide	+ 4 min, lente x 7 =	35 min
9	A	3 min, moyenne	+ 2 min, lente x 8 =	40 min
	B	4 min, moyenne	+ 1 min, lente x 8 =	40 min
	C	40 min, moyenne		40 min *
	D	1 min, rapide	+ 4 min, lente x 7 =	35 min
10	A	4 min, moyenne	+ 1 min, lente x 9 =	45 min
	B	45 min, moyenne		45 min
	C	1 min, rapide	+ 4 min, lente x 9 =	45 min *
	D	2 min, rapide	+ 3 min, lente x 8 =	40 min
11	A	4 min, moyenne	+ 1 min, lente x 9 =	45 min
	B	45 min, moyenne		45 min
	C	1 min, rapide	+ 4 min, lente x 9 =	45 min *
	D	2 min, rapide	+ 3 min, lente x 8 =	40 min
12	A	45 min, moyenne		45 min
	B	1 min, rapide	+ 4 min, lente x 9 =	45 min
	C	2 min, rapide	+ 3 min, lente x 9 =	45 min *
	D	2 min, rapide	+ 3 min, lente x 8 =	40 min
13	A	45 min, moyenne		45 min
	B	1 min, rapide	+ 4 min, lente x 9 =	45 min
	C	2 min, rapide	+ 3 min, lente x 9 =	45 min *
	D	2 min, rapide	+ 3 min, lente x 8 =	40 min

SKI DE FOND, NIVEAU 3

* S'il vous est impossible de faire la dernière séance de la semaine, vous pouvez prolonger cette séance de 5 minutes, et omettre la séance suivante.

** Excluant les périodes d'échauffement et d'assouplissement.

SEMAINE	✔ JOUR	VITESSE	DURÉE TOTALE**
1 Exemple:	✔ A	4 min, moyenne + 1 min, lente x 6 =	30 min
	B	4 min, moyenne + 1 min, lente x 6 =	30 min *
	C	30 min, moyenne	30 min
2	A	4 min, moyenne + 1 min, lente x 7 =	35 min
	B	4 min, moyenne + 1 min, lente x 7 =	35 min
	C	35 min, moyenne	35 min *
	D	1 min, rapide + 4 min, lente x 6 =	30 min
3	A	4 min, moyenne + 1 min, lente x 8 =	40 min
	B	4 min, moyenne + 1 min, lente x 8 =	40 min
	C	40 min, moyenne	40 min *
	D	1 min, rapide + 4 min, lente x 7 =	35 min
4	A	4 min, moyenne + 1 min, lente x 8 =	40 min
	B	40 min, moyenne	40 min
	C	1 min, rapide + 4 min, lente x 8 =	40 min *
	D	2 min, rapide + 3 min, lente x 7 =	35 min
5	A	4 min, moyenne + 1 min, lente x 9 =	45 min
	B	4 min, moyenne + 1 min, lente x 9 =	45 min
	C	45 min, moyenne	45 min
	D	1 min, rapide + 4 min, lente x 9 =	45 min *
	E	2 min, rapide + 3 min, lente x 8 =	40 min
6	A	4 min, moyenne + 1 min, lente x 9 =	45 min
	B	45 min, moyenne	45 min
	C	1 min, rapide + 4 min, lente x 9 =	45 min
	D	2 min, rapide + 3 min, lente x 9 =	45 min *
	E	3 min, rapide + 2 min, lente x 8 =	40 min
7	A	4 min, moyenne + 1 min, lente x 9 =	45 min
	B	45 min, moyenne	45 min
	C	1 min, rapide + 4 min, lente x 9 =	45 min
	D	2 min, rapide + 3 min, lente x 9 =	45 min *
	E	3 min, rapide + 2 min, lente x 8 =	40 min

Exemple explicatif: la première semaine, entraînez-vous trois jours (non consécutifs). Le premier jour (A), skiez à vitesse moyenne pendant 4 minutes, puis skiez lentement pendant 1 minute. Faites cet exercice 6 fois, pour un total de 30 minutes. Ensuite, faites une coche.

SEMAINE	✓ JOUR	VITESSE	DURÉE TOTALE**
8	A	45 min, moyenne	45 min
	B	1 min, rapide + 4 min, lente x 9 =	45 min
	C	2 min, rapide + 3 min, lente x 9 =	45 min
	D	3 min, rapide + 2 min, lente x 9 =	45 min *
	E	4 min, rapide + 1 min, lente x 8 =	40 min
9	A	45 min, moyenne	45 min
	B	1 min, rapide + 4 min, lente x 9 =	45 min
	C	2 min, rapide + 3 min, lente x 9 =	45 min
	D	3 min, rapide + 2 min, lente x 9 =	45 min *
	E	4 min, rapide + 1 min, lente x 8 =	40 min
10	A	1 min, rapide + 4 min, lente x 10 =	50 min
	B	2 min, rapide + 3 min, lente x 10 =	50 min
	C	3 min, rapide + 2 min, lente x 10 =	50 min
	D	4 min, rapide + 1 min, lente x 10 =	50 min *
	E	45 min, rapide	45 min
11	A	1 min, rapide + 4 min, lente x 10 =	50 min
	B	2 min, rapide + 3 min, lente x 10 =	50 min
	C	3 min, rapide + 2 min, lente x 10 =	50 min
	D	4 min, rapide + 1 min, lente x 10 =	50 min *
	E	45 min, rapide	45 min
12	A	2 min, rapide + 3 min, lente x 10 =	50 min
	B	3 min, rapide + 2 min, lente x 10 =	50 min
	C	4 min, rapide + 1 min, lente x 10 =	50 min
	D	50 min, rapide	50 min *
	E	45 min, rapide	45 min
13	A	2 min, rapide + 3 min, lente x 10 =	50 min
	B	3 min, rapide + 2 min, lente x 10 =	50 min
	C	4 min, rapide + 1 min, lente x 10 =	50 min
	D	50 min, rapide	50 min *
	E	45 min, rapide	45 min

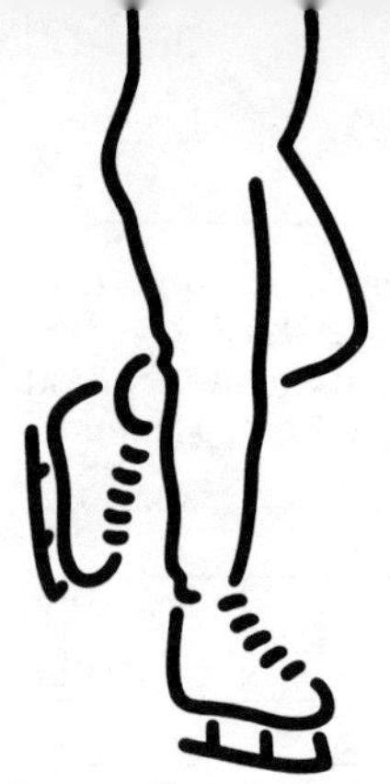

Patinage

Le patinage est une autre excellente activité d'hiver — à pratiquer seul ou en groupe. Si vous avez accès à une patinoire intérieure ou extérieure ou à un cours d'eau gelé, vous pouvez patiner régulièrement.

Beaucoup de gens ne chaussent leurs patins que quelques fois par hiver. Pour que le patinage ait un effet bénéfique sur votre condition physique, vous devez le pratiquer régulièrement et suivre votre programme EXPRES.

Le patinage est à conseiller si:

- ...vous aimez le plein air par temps froid.
- ...vous pouvez trouver facilement un bon endroit où patiner. S'il vous faut trop de temps pour vous y rendre, vous risquez de manquer plusieurs séances d'entraînement.
- ...vous aimez le sport de compagnie: le patinage est souvent une activité sociale.

Pour bien commencer:

- *Les patins.* Si vous achetez des patins, faites-le dans une boutique de bonne réputation, où un vendeur compétent guidera votre choix.

Des lames bien aiguisées favorisent la poussée, assurent votre stabilité et glissent aisément. Faites affiler vos patins régulièrement. Essuyez les lames avec soin après chaque sortie.

• *Les vêtements.* Si vous patinez à l'extérieur, protégez-vous du vent et du froid. Il est préférable de porter plusieurs couches de vêtements minces plutôt qu'un seul vêtement épais. Vous perdez moins de chaleur, et vous vous adaptez plus rapidement aux variations de température.

Le polypropylène et le polyester sont les meilleures fibres pour isoler la peau du froid et de l'humidité.

La laine constitue une excellente couche intermédiaire. Même mouillée, elle conserve la chaleur et ne retient pas la neige. Certains nouveaux tissus pelucheux ou ouatés sèchent rapidement et vous gardent au chaud, même mouillés. À chaleur égale, les tissus pelucheux sont deux fois moins lourds que la laine.

Les tissus synthétiques — le polyester et la fibre triple (coton, polyester et nylon) — constituent la couche extérieure parfaite. Légers, ils respirent et protègent du vent et de l'eau.

Utilisez des chaussettes légères de polypropylène ou de laine et nylon, sous une paire de bas de laine. Une tuque protégera votre tête même s'il fait très froid. Munissez-vous d'une paire de gants ou de mitaines.

Pour patiner à l'intérieur, vous n'avez pas besoin de vêtements aussi chauds, mais le principe des différentes couches demeure: enlever ou remettre un vêtement permet de vous adapter à la température ambiante et à votre niveau d'activité.

• *Le changement de direction.* Ne patinez pas constamment dans la même direction si vous voulez offrir à vos jambes un exercice uniforme.

PATINAGE, NIVEAU 1

* S'il vous est impossible de faire la dernière séance de la semaine, vous pouvez prolonger cette séance de 5 minutes, et omettre la séance suivante.
** Excluant les périodes d'échauffement et d'assouplissement.

SEMAINE	✓ JOUR	DURÉE ET VITESSE	DURÉE TOTALE**
1	A	15 min, très lente	15 min
	B	15 min, lente	15 min
2	A	20 min, lente	20 min
Exemple:	✓B	1 min, moyenne + 4 min, lente x 3 =	15 min
3	A	20 min, très lente	20 min
	B	20 min, lente	20 min*
	C	1 min, moyenne + 4 min, lente x 3 =	15 min
4	A	25 min, lente	25 min
	B	1 min, moyenne + 4 min, lente x 5 =	25 min*
	C	2 min, moyenne + 3 min, lente x 4 =	20 min
5	A	25 min, lente	25 min
	B	1 min, moyenne + 4 min, lente x 5 =	25 min*
	C	2 min, moyenne + 3 min, lente x 4 =	20 min
6	A	1 min, moyenne + 4 min, lente x 5 =	25 min
	B	2 min, moyenne + 3 min, lente x 5 =	25 min*
	C	3 min, moyenne + 2 min, lente x 4 =	20 min
7	A	1 min, moyenne + 4 min, lente x 5 =	25 min
	B	2 min, moyenne + 3 min, lente x 5 =	25 min*
	C	3 min, moyenne + 2 min, lente x 4 =	20 min

Exemple explicatif: la deuxième semaine, entraînez-vous deux jours (non consécutifs). Le deuxième jour (B), patinez à vitesse moyenne pendant 1 minute, puis à vitesse lente pendant 4 minutes. Faites cet exercice 3 fois, pour un total de 15 minutes. Ensuite, faites une coche.

SEMAINE	✓ JOUR	DURÉE ET VITESSE	DURÉE TOTALE**
8	A	2 min, moyenne + 3 min, lente x 5 =	25 min
	B	3 min, moyenne + 2 min, lente x 5 =	25 min*
	C	4 min, moyenne + 1 min, lente x 4 =	20 min
9	A	2 min, moyenne + 3 min, lente x 6 =	30 min
	B	3 min, moyenne + 2 min, lente x 6 =	30 min*
	C	4 min, moyenne + 1 min, lente x 5 =	25 min
10	A	3 min, moyenne + 2 min, lente x 6 =	30 min
	B	4 min, moyenne + 1 min, lente x 6 =	30 min*
	C	25 min, moyenne	25 min
11	A	3 min, moyenne + 2 min, lente x 6 =	30 min
	B	4 min, moyenne + 1 min, lente x 6 =	30 min*
	C	25 min, moyenne	25 min
12	A	4 min, moyenne + 1 min, lente x 6 =	30 min
	B	30 min, moyenne	30 min*
	C	25 min, moyenne	25 min
13	A	4 min, moyenne + 1 min, lente x 6 =	30 min
	B	30 min, moyenne	30 min*
	C	25 min, moyenne	25 min

PATINAGE, NIVEAU 2

* S'il vous est impossible de faire la dernière séance de la semaine, vous pouvez prolonger cette séance de 5 minutes, et omettre la séance suivante.

** Excluant les périodes d'échauffement et d'assouplissement.

SEMAINE	✓ JOUR	DURÉE ET VITESSE	DURÉE TOTALE**
1 Exemple:	✓A	1 min, moyenne + 4 min, lente x 4 =	20 min
	B	2 min, moyenne + 3 min, lente x 4 =	20 min
2	A	1 min, moyenne + 4 min, lente x 5 =	25 min
	B	2 min, moyenne + 3 min, lente x 5 =	25 min*
	C	3 min, moyenne + 2 min, lente x 4 =	20 min
3	A	1 min, moyenne + 4 min, lente x 6 =	30 min
	B	2 min, moyenne + 3 min, lente x 6 =	30 min*
	C	3 min, moyenne + 2 min, lente x 5 =	25 min
4	A	2 min, moyenne + 3 min, lente x 6 =	30 min
	B	3 min, moyenne + 2 min, lente x 6 =	30 min*
	C	4 min, moyenne + 1 min, lente x 5 =	25 min
5	A	1 min, moyenne + 4 min, lente x 7 =	35 min
	B	2 min, moyenne + 3 min, lente x 7 =	35 min
	C	3 min, moyenne + 2 min, lente x 7 =	35 min*
	D	4 min, moyenne + 1 min, lente x 6 =	30 min
6	A	2 min, moyenne + 3 min, lente x 7 =	35 min
	B	3 min, moyenne + 2 min, lente x 7 =	35 min
	C	4 min, moyenne + 1 min, lente x 7 =	35 min*
	D	30 min, moyenne	30 min
7	A	2 min, moyenne + 3 min, lente x 7 =	35 min
	B	3 min, moyenne + 2 min, lente x 7 =	35 min
	C	4 min, moyenne + 1 min, lente x 7 =	35 min*
	D	30 min, moyenne	30 min

Exemple explicatif: la première semaine, entraînez-vous deux jours (non consécutifs). Le premier jour (A), patinez à vitesse moyenne pendant 1 minute, puis à vitesse lente pendant 4 minutes. Faites cet exercice 4 fois, pour un total de 20 minutes. Ensuite, faites une coche.

SEMAINE	✓ JOUR	DURÉE ET VITESSE	DURÉE TOTALE**
8	A	3 min, moyenne + 2 min, lente x 7 =	35 min
	B	4 min, moyenne + 1 min, lente x 7 =	35 min
	C	35 min, moyenne	35 min*
	D	1 min, rapide + 4 min, lente x 6 =	30 min
9	A	3 min, moyenne + 2 min, lente x 7 =	35 min
	B	4 min, moyenne + 1 min, lente x 7 =	35 min
	C	35 min, moyenne	35 min*
	D	1 min, rapide + 4 min, lente x 6 =	30 min
10	A	4 min, moyenne + 1 min, lente x 8 =	40 min
	B	40 min, moyenne	40 min
	C	1 min, rapide + 4 min, lente x 8 =	40 min*
	D	2 min, rapide + 3 min, lente x 7 =	35 min
11	A	4 min, moyenne + 1 min, lente x 8 =	40 min
	B	40 min, moyenne	40 min
	C	1 min, rapide + 4 min, lente x 8 =	40 min*
	D	2 min, rapide + 3 min, lente x 7 =	35 min
12	A	40 min, moyenne	40 min
	B	1 min, rapide + 4 min, lente x 8 =	40 min
	C	2 min, rapide + 3 min, lente x 8 =	40 min*
	D	2 min, rapide + 3 min, lente x 7 =	35 min
13	A	40 min, moyenne	40 min
	B	1 min, rapide + 4 min, lente x 8 =	40 min
	C	2 min, rapide + 3 min, lente x 8 =	40 min*
	D	2 min, rapide + 3 min, lente x 7 =	35 min

PATINAGE, NIVEAU 3

* S'il vous est impossible de faire la dernière séance de la semaine, vous pouvez prolonger cette séance de 5 minutes, et omettre la séance suivante.

** Excluant les périodes d'échauffement et d'assouplissement.

SEMAINE	✓ JOUR	DURÉE ET VITESSE	DURÉE TOTALE**
1 Exemple:	✓A	4 min, moyenne + 1 min, lente x 5 =	25 min
	B	4 min, moyenne + 1 min, lente x 5 =	25 min*
	C	25 min, moyenne	25 min
2	A	4 min, moyenne + 1 min, lente x 6 =	30 min
	B	4 min, moyenne + 1 min, lente x 6 =	30 min
	C	30 min, moyenne	30 min*
	D	1 min, rapide + 4 min, lente x 5 =	25 min
3	A	4 min, moyenne + 1 min, lente x 7 =	35 min
	B	4 min, moyenne + 1 min, lente x 7 =	35 min
	C	35 min, moyenne	35 min*
	D	1 min, rapide + 4 min, lente x 6 =	30 min
4	A	4 min, moyenne + 1 min, lente x 7 =	35 min
	B	35 min, moyenne	35 min
	C	1 min, rapide + 4 min, lente x 7 =	35 min*
	D	2 min, rapide + 3 min, lente x 6 =	30 min
5	A	4 min, moyenne + 1 min, lente x 8 =	40 min
	B	4 min, moyenne + 1 min, lente x 8 =	40 min
	C	40 min, moyenne	40 min
	D	1 min, rapide + 4 min, lente x 8 =	40 min*
	E	2 min, rapide + 3 min, lente x 7 =	35 min
6	A	4 min, moyenne + 1 min, lente x 8 =	40 min
	B	40 min, moyenne	40 min
	C	1 min, rapide + 4 min, lente x 8 =	40 min
	D	2 min, rapide + 3 min, lente x 8 =	40 min*
	E	3 min, rapide + 2 min, lente x 7 =	35 min
7	A	4 min, moyenne + 1 min, lente x 8 =	40 min
	B	40 min, moyenne	40 min
	C	1 min, rapide + 4 min, lente x 8 =	40 min
	D	2 min, rapide + 3 min, lente x 8 =	40 min*
	E	3 min, rapide + 2 min, lente x 7 =	35 min

Exemple explicatif: la première semaine, entraînez-vous trois jours (non consécutifs). Le premier jour (A), patinez à vitesse moyenne pendant 4 minutes, puis à vitesse lente pendant 1 minute. Faites cet exercice 5 fois, pour un total de 25 minutes. Ensuite, faites une coche.

SEMAINE	✓ JOUR	DURÉE ET VITESSE		DURÉE TOTALE**
8	A	40 min, moyenne		40 min
	B	1 min, rapide	+ 4 min, lente x 8 =	40 min
	C	2 min, rapide	+ 3 min, lente x 8 =	40 min
	D	3 min, rapide	+ 2 min, lente x 8 =	40 min*
	E	4 min, rapide	+ 1 min, lente x 7 =	35 min
9	A	40 min, moyenne		40 min
	B	1 min, rapide	+ 4 min, lente x 8 =	40 min
	C	2 min, rapide	+ 3 min, lente x 8 =	40 min
	D	3 min, rapide	+ 2 min, lente x 8 =	40 min*
	E	4 min, rapide	+ 1 min, lente x 7 =	35 min
10	A	1 min, rapide	+ 4 min, lente x 9 =	45 min
	B	2 min, rapide	+ 3 min, lente x 9 =	45 min
	C	3 min, rapide	+ 2 min, lente x 9 =	45 min
	D	4 min, rapide	+ 1 min, lente x 9 =	45 min*
	E	40 min, rapide		40 min
11	A	1 min, rapide	+ 4 min, lente x 9 =	45 min
	B	2 min, rapide	+ 3 min, lente x 9 =	45 min
	C	3 min, rapide	+ 2 min, lente x 9 =	45 min
	D	4 min, rapide	+ 1 min, lente x 9 =	45 min*
	E	40 min, rapide		40 min
12	A	2 min, rapide	+ 3 min, lente x 9 =	45 min
	B	3 min, rapide	+ 2 min, lente x 9 =	45 min
	C	4 min, rapide	+ 1 min, lente x 9 =	45 min
	D	45 min, rapide		45 min*
	E	40 min, rapide		40 min
13	A	2 min, rapide	+ 3 min, lente x 9 =	45 min
	B	3 min, rapide	+ 2 min, lente x 9 =	45 min
	C	4 min, rapide	+ 1 min, lente x 9 =	45 min
	D	45 min, rapide		45 min*
	E	40 min, rapide		40 min

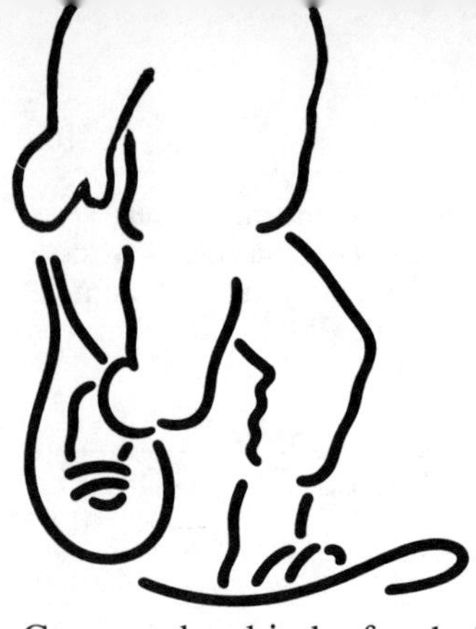

Raquette

Comme le ski de fond, la raquette se pratique sans remonte-pente. Un peu de neige suffit. Et vous n'avez besoin que d'une paire de raquettes.

Vous pouvez l'adopter comme seul sport d'hiver, mais elle offre également aux skieurs et aux patineurs une alternative agréable. Afin d'en retirer le maximum de plaisir et de bien-être, consultez les tableaux EXPRES.

La raquette est à conseiller si:

- ...vous appréciez le plein air et l'hiver.
- ...vous recherchez un défi et un peu d'aventure.
- ...vous aimez sortir des sentiers battus dans les parcs et dans les bois.

Pour bien commencer:

- *L'équipement.* Vous avez le choix entre des raquettes de bois, de plastique ou d'aluminium. La traditionnelle raquette de bois exige plus de soins que le plastique ou l'aluminium, mais demeure le premier choix des amateurs. Le plastique convient à la neige mouillée; l'aluminium, plus léger, est recommandé pour la randonnée en montagne. Si vous prévoyez acheter une paire de raquettes, consultez un vendeur compétent.

- *Les vêtements.* Il est préférable de porter plusieurs couches de vêtements minces plutôt qu'un seul vêtement épais. Vous perdez moins de chaleur, et vous vous adaptez plus rapidement aux variations de température.

Le polypropylène et le polyester sont les meilleures fibres pour isoler la peau du froid et de l'humidité.

La laine constitue une excellente couche intermédiaire. Même mouillée, elle conserve la chaleur et ne retient pas la neige. Certains nouveaux tissus pelucheux ou ouatés sèchent rapidement et vous gardent au chaud, même mouillés. À chaleur égale, les tissus pelucheux sont deux fois moins lourds que la laine.

Les tissus synthétiques — le polyester et la fibre triple (coton, polyester et nylon) — constituent la couche extérieure parfaite. Légers, ils respirent et protègent du vent et de l'eau.

Utilisez des chaussettes légères de polypropylène ou de laine et nylon, sous une paire de bas de laine. Une tuque protégera votre tête même s'il fait très froid. Munissez-vous d'une paire de gants ou de mitaines.

• *La trousse de secours.* Si vous quittez les aires balisées, votre sac à dos doit contenir une trousse de premiers soins, des allumettes, une carte de la région, une boussole et un peu de nourriture.

Attention!

• Vérifiez votre équipement avant chaque départ.

• Évitez les rafraîchissements contenant de l'alcool: ils causent une plus grande perte de chaleur et la déshydratation.

• Évitez les pistes de ski de fond ou de motoneige.

• Soyez prudent lorsque vous marchez hors des aires balisées, dans une région sauvage. Vérifiez votre position régulièrement. Ne partez jamais seul.

• Si vous connaissez mal le territoire, revenez sur vos pas au lieu d'accomplir un circuit en boucle.

RAQUETTE, NIVEAU 1

* S'il vous est impossible de faire la dernière séance de la semaine, vous pouvez prolonger cette séance de 5 minutes, et omettre la séance suivante.

** Excluant les périodes d'échauffement et d'assouplissement.

SEMAINE	✓ JOUR	DURÉE ET VITESSE	DURÉE TOTALE**
1	A	15 min, très lente	15 min
	B	15 min, lente	15 min
2	A	20 min, lente	20 min
Exemple:	✓B	1 min, moyenne + 4 min, lente x 3 =	15 min
3	A	20 min, très lente	20 min
	B	20 min, lente	20 min*
	C	1 min, moyenne + 4 min, lente x 3 =	15 min
4	A	25 min, lente	25 min
	B	1 min, moyenne + 4 min, lente x 5 =	25 min*
	C	2 min, moyenne + 3 min, lente x 4 =	20 min
5	A	25 min, lente	25 min
	B	1 min, moyenne + 4 min, lente x 5 =	25 min*
	C	2 min, moyenne + 3 min, lente x 4 =	20 min
6	A	1 min, moyenne + 4 min, lente x 5 =	25 min
	B	2 min, moyenne + 3 min, lente x 5 =	25 min*
	C	3 min, moyenne + 2 min, lente x 4 =	20 min
7	A	1 min, moyenne + 4 min, lente x 5 =	25 min
	B	2 min, moyenne + 3 min, lente x 5 =	25 min*
	C	3 min, moyenne + 2 min, lente x 4 =	20 min

Exemple explicatif: la deuxième semaine, entraînez-vous deux jours (non consécutifs). Le deuxième jour (B), faites de la raquette à vitesse moyenne pendant 1 minute, puis à vitesse lente pendant 4 minutes. Faites cet exercice 3 fois, pour un total de 15 minutes. Ensuite, faites une coche.

SEMAINE	✓ JOUR	DURÉE ET VITESSE	DURÉE TOTALE**
8	A	2 min, moyenne + 3 min, lente x 5 =	25 min
	B	3 min, moyenne + 2 min, lente x 5 =	25 min*
	C	4 min, moyenne + 1 min, lente x 4 =	20 min
9	A	2 min, moyenne + 3 min, lente x 6 =	30 min
	B	3 min, moyenne + 2 min, lente x 6 =	30 min*
	C	4 min, moyenne + 1 min, lente x 5 =	25 min
10	A	3 min, moyenne + 2 min, lente x 6 =	30 min
	B	4 min, moyenne + 1 min, lente x 6 =	30 min*
	C	25 min, moyenne	25 min
11	A	3 min, moyenne + 2 min, lente x 6 =	30 min
	B	4 min, moyenne + 1 min, lente x 6 =	30 min*
	C	25 min, moyenne	25 min
12	A	4 min, moyenne + 1 min, lente x 6 =	30 min
	B	30 min, moyenne	30 min*
	C	25 min, moyenne	25 min
13	A	4 min, moyenne + 1 min, lente x 6 =	30 min
	B	30 min, moyenne	30 min*
	C	25 min, moyenne	25 min

RAQUETTE, NIVEAU 2

* S'il vous est impossible de faire la dernière séance de la semaine, vous pouvez prolonger cette séance de 5 minutes, et omettre la séance suivante.

** Excluant les périodes d'échauffement et d'assouplissement.

SEMAINE	✓ JOUR	DURÉE ET VITESSE	DURÉE TOTALE**
1 Exemple:	✓ A	1 min, moyenne + 4 min, lente x 4 =	20 min
	B	2 min, moyenne + 3 min, lente x 4 =	20 min
2	A	1 min, moyenne + 4 min, lente x 5 =	25 min
	B	2 min, moyenne + 3 min, lente x 5 =	25 min*
	C	3 min, moyenne + 2 min, lente x 4 =	20 min
3	A	1 min, moyenne + 4 min, lente x 6 =	30 min
	B	2 min, moyenne + 3 min, lente x 6 =	30 min*
	C	3 min, moyenne + 2 min, lente x 5 =	25 min
4	A	2 min, moyenne + 3 min, lente x 6 =	30 min
	B	3 min, moyenne + 2 min, lente x 6 =	30 min*
	C	4 min, moyenne + 1 min, lente x 5 =	25 min
5	A	1 min, moyenne + 4 min, lente x 7 =	35 min
	B	2 min, moyenne + 3 min, lente x 7 =	35 min
	C	3 min, moyenne + 2 min, lente x 7 =	35 min*
	D	4 min, moyenne + 1 min, lente x 6 =	30 min
6	A	2 min, moyenne + 3 min, lente x 7 =	35 min
	B	3 min, moyenne + 2 min, lente x 7 =	35 min
	C	4 min, moyenne + 1 min, lente x 7 =	35 min*
	D	30 min, moyenne	30 min
7	A	2 min, moyenne + 3 min, lente x 7 =	35 min
	B	3 min, moyenne + 2 min, lente x 7 =	35 min
	C	4 min, moyenne + 1 min, lente x 7 =	35 min*
	D	30 min, moyenne	30 min

Exemple explicatif: la première semaine, entraînez-vous deux jours (non consécutifs). Le premier jour (A), faites de la raquette à vitesse moyenne pendant 1 minute, puis à vitesse lente pendant 4 minutes. Faites cet exercice 4 fois, pour un total de 20 minutes. Ensuite, faites une coche.

SEMAINE	✓ JOUR	DURÉE ET VITESSE		DURÉE TOTALE**
8	A	3 min, moyenne	+ 2 min, lente x 7 =	35 min
	B	4 min, moyenne	+ 1 min, lente x 7 =	35 min
	C	35 min, moyenne		35 min*
	D	1 min, rapide	+ 4 min, lente x 6 =	30 min
9	A	3 min, moyenne	+ 2 min, lente x 7 =	35 min
	B	4 min, moyenne	+ 1 min, lente x 7 =	35 min
	C	35 min, moyenne		35 min*
	D	1 min, rapide	+ 4 min, lente x 6 =	30 min
10	A	4 min, moyenne	+ 1 min, lente x 8 =	40 min
	B	40 min, moyenne		40 min
	C	1 min, rapide	+ 4 min, lente x 8 =	40 min*
	D	2 min, rapide	+ 3 min, lente x 7 =	35 min
11	A	4 min, moyenne	+ 1 min, lente x 8 =	40 min
	B	40 min, moyenne		40 min
	C	1 min, rapide	+ 4 min, lente x 8 =	40 min*
	D	2 min, rapide	+ 3 min, lente x 7 =	35 min
12	A	40 min, moyenne		40 min
	B	1 min, rapide	+ 4 min, lente x 8 =	40 min
	C	2 min, rapide	+ 3 min, lente x 8 =	40 min*
	D	2 min, rapide	+ 3 min, lente x 7 =	35 min
13	A	40 min, moyenne		40 min
	B	1 min, rapide	+ 4 min, lente x 8 =	40 min
	C	2 min, rapide	+ 3 min, lente x 8 =	40 min*
	D	2 min, rapide	+ 3 min, lente x 7 =	35 min

RAQUETTE, NIVEAU 3

* S'il vous est impossible de faire la dernière séance de la semaine, vous pouvez prolonger cette séance de 5 minutes, et omettre la séance suivante.

** Excluant les périodes d'échauffement et d'assouplissement.

SEMAINE	✓ JOUR	DURÉE ET VITESSE	DURÉE TOTALE**
1 Exemple:	✓ A	4 min, moyenne + 1 min, lente x 5 =	25 min
	B	4 min, moyenne + 1 min, lente x 5 =	25 min*
	C	25 min, moyenne	25 min
2	A	4 min, moyenne + 1 min, lente x 6 =	30 min
	B	4 min, moyenne + 1 min, lente x 6 =	30 min
	C	30 min, moyenne	30 min*
	D	1 min, rapide + 4 min, lente x 5 =	25 min
3	A	4 min, moyenne + 1 min, lente x 7 =	35 min
	B	4 min, moyenne + 1 min, lente x 7 =	35 min
	C	35 min, moyenne	35 min*
	D	1 min, rapide + 4 min, lente x 6 =	30 min
4	A	4 min, moyenne + 1 min, lente x 7 =	35 min
	B	35 min, moyenne	35 min
	C	1 min, rapide + 4 min, lente x 7 =	35 min*
	D	2 min, rapide + 3 min, lente x 6 =	30 min
5	A	4 min, moyenne + 1 min, lente x 8 =	40 min
	B	4 min, moyenne + 1 min, lente x 8 =	40 min
	C	40 min, moyenne	40 min
	D	1 min, rapide + 4 min, lente x 8 =	40 min*
	E	2 min, rapide + 3 min, lente x 7 =	35 min
6	A	4 min, moyenne + 1 min, lente x 8 =	40 min
	B	40 min, moyenne	40 min
	C	1 min, rapide + 4 min, lente x 8 =	40 min
	D	2 min, rapide + 3 min, lente x 8 =	40 min*
	E	3 min, rapide + 2 min, lente x 7 =	35 min
7	A	4 min, moyenne + 1 min, lente x 8 =	40 min
	B	40 min, moyenne	40 min
	C	1 min, rapide + 4 min, lente x 8 =	40 min
	D	2 min, rapide + 3 min, lente x 8 =	40 min*
	E	3 min, rapide + 2 min, lente x 7 =	35 min

Exemple explicatif: la première semaine, entraînez-vous trois jours (non consécutifs). Le premier jour (A), faites de la raquette à vitesse moyenne pendant 4 minutes, puis à vitesse lente pendant 1 minute. Faites cet exercice 5 fois, pour un total de 25 minutes. Ensuite, faites une coche.

SEMAINE	✓ JOUR	DURÉE ET VITESSE		DURÉE TOTALE**
8	A	40 min, moyenne		40 min
	B	1 min, rapide	+ 4 min, lente x 8 =	40 min
	C	2 min, rapide	+ 3 min, lente x 8 =	40 min
	D	3 min, rapide	+ 2 min, lente x 8 =	40 min*
	E	4 min, rapide	+ 1 min, lente x 7 =	35 min
9	A	40 min, moyenne		40 min
	B	1 min, rapide	+ 4 min, lente x 8 =	40 min
	C	2 min, rapide	+ 3 min, lente x 8 =	40 min
	D	3 min, rapide	+ 2 min, lente x 8 =	40 min*
	E	4 min, rapide	+ 1 min, lente x 7 =	35 min
10	A	1 min, rapide	+ 4 min, lente x 9 =	45 min
	B	2 min, rapide	+ 3 min, lente x 9 =	45 min
	C	3 min, rapide	+ 2 min, lente x 9 =	45 min
	D	4 min, rapide	+ 1 min, lente x 9 =	45 min*
	E	40 min, rapide		40 min
11	A	1 min, rapide	+ 4 min, lente x 9 =	45 min
	B	2 min, rapide	+ 3 min, lente x 9 =	45 min
	C	3 min, rapide	+ 2 min, lente x 9 =	45 min
	D	4 min, rapide	+ 1 min, lente x 9 =	45 min*
	E	40 min, rapide		40 min
12	A	2 min, rapide	+ 3 min, lente x 9 =	45 min
	B	3 min, rapide	+ 2 min, lente x 9 =	45 min
	C	4 min, rapide	+ 1 min, lente x 9 =	45 min
	D	45 min, rapide		45 min*
	E	40 min, rapide		40 min
13	A	2 min, rapide	+ 3 min, lente x 9 =	45 min
	B	3 min, rapide	+ 2 min, lente x 9 =	45 min
	C	4 min, rapide	+ 1 min, lente x 9 =	45 min
	D	45 min, rapide		45 min*
	E	40 min, rapide		40 min

CHAPITRE 3

FORCE ET ENDURANCE MUSCULAIRE

La force et l'endurance musculaire constituent, avec l'endurance aérobique et la souplesse, les facteurs essentiels de la bonne forme. Un bon niveau de force et d'endurance musculaire vous aide à accomplir toutes vos tâches matérielles — au travail et dans les loisirs — facilement et agréablement, tout en réduisant les risques de blessure.

La force est définie comme la puissance maximale qu'un muscle ou un groupe de muscles développe lorsqu'il est contracté au maximum.

L'endurance musculaire est la capacité d'un muscle ou d'un groupe de muscles de se contracter un certain nombre de fois pendant une période fixe.

Ce chapitre a pour but de vous aider à améliorer et à maintenir votre niveau personnel de force et d'endurance musculaire. Il comporte les indications nécessaires pour l'établissement d'un programme d'entraînement sûr, efficace et agréable. Il permet de progresser graduellement, à partir de votre niveau actuel.

Suivez votre programme de façon raisonnable. Les exercices doivent être réguliers et modérés — et non sporadiques et intenses. N'oubliez surtout pas de les compléter par des exercices d'assouplissement et des activités aérobiques.

Partez au bon niveau

Les niveaux 1 et 2 des programmes suivants ont une durée de trois mois. À la fin de l'un ou de l'autre, vous pouvez passer au niveau supérieur.

Le niveau 3 constitue un programme permanent. Il comprend plusieurs indications de modification du programme qui vous permettront d'améliorer ou de maintenir votre condition physique tout en conservant votre intérêt.

Il est important d'établir correctement votre niveau de départ pour l'entraînement musculaire: votre sécurité et votre bien-être en dépendent. Deux facteurs entrent en jeu:

1. Votre familiarité avec les appareils que vous vous proposez d'utiliser (pour plus de détails, voir la section «Équipement», page 107). Dans les deux tableaux qui suivent, répondez *oui* si vous les utilisez régulièrement ou les avez déjà utilisés pour vous entraîner. Si vous n'êtes pas à l'aise avec ces appareils, répondez *non.* Pour le programme «mains libres», considérez-vous comme déjà familier avec les appareils et répondez *oui.*

2. Votre condition physique actuelle. Il y a deux manières de l'évaluer.

Si vous avez subi le test d'évaluation de la condition physique appelé Physitest normalisé: cette évaluation comprend trois tests de force et d'endurance musculaire (le dynamomètre manuel, les redressements assis et les pompes). Vous avez obtenu, pour chacun de ces tests, un rang centile qui vous classe par rapport à la moyenne des gens du même âge et du même sexe que vous.

Le tableau ci-dessous a pour but d'établir le niveau correspondant à vos résultats et à votre familiarité avec les appareils.

Rang centile des tests	**Familiarité avec les appareils**	**Niveau de départ**
25 ou plus dans moins de 2 tests	oui ou non	**1**
25 ou plus dans 2 tests	non	**1**
25 ou plus dans 2 tests	oui	**2**
25 ou plus dans 3 tests	oui ou non	**2**
75 ou plus dans 3 tests	non	**2**
75 ou plus dans 3 tests	oui	**3**

Vous avez obtenu un centile 25 ou plus dans deux des trois tests, mais n'êtes pas familier avec les appareils? Vous devriez commencer au niveau 1. Si vous avez obtenu un centile 75 ou plus pour trois des tests, et que vous êtes familier avec l'équipement, vous pouvez passer directement au niveau 3.

Si votre condition physique n'a pas été évaluée ou si l'évaluation était différente du Physitest normalisé: le tableau qui suit indiquera votre niveau de départ en fonction de votre familiarité avec l'équipement et de votre niveau actuel d'activité physique. Cette évaluation de votre activité physique inclut les cours de conditionnement physique, les sports tels le badminton ou le tennis, ou toute activité aérobique comme la course, le cyclisme ou la natation. Chaque séance doit être suffisamment vigoureuse pour améliorer votre condition cardio-vasculaire.

Fréquence actuelle d'activité physique	Familiarité avec les appareils	Niveau de départ
Pas plus d'une fois par semaine	oui ou non	**1**
Deux ou trois fois par semaine	non	**1**
Deux ou trois fois par semaine	oui	**2**
Quatre fois ou plus par semaine	non	**2**
Quatre fois ou plus par semaine	oui	**3**

Par exemple, si vous faites de l'exercice deux ou trois fois par semaine et n'êtes pas familier avec les appareils nécessaires pour votre programme, commencez au niveau 1. Si vous faites de l'exercice au moins quatre fois par semaine et connaissez bien les appareils, commencez au niveau 3.

Attention!

• *Échauffez-vous.* Des exercices d'assouplissement modérés, accompagnés d'exercices aérobiques légers, accroissent la fréquence cardiaque et la température du corps, et préparent les muscles et les articulations à l'entraînement musculaire. Exécutés avant chaque séance d'entraînement, ils rendent ces exercices plus aisés et moins dangereux. Suivez les explications d'échauffement ainsi que les exercices d'assouplissement présentés dans le chapitre 1.

• *Maîtrisez la bonne technique.* Ne vous lancez pas trop vite dans votre programme. Maîtrisez la bonne technique avec des poids légers avant d'accroître la charge. Soyez prudent quand vous ramenez les haltères à leur position de départ. Levez les poids surtout avec les jambes et protégez le dos de toute tension excessive.

• *Respirez correctement.* Retenir votre souffle pendant l'effort peut vous étourdir. Inspirez et expirez pendant chaque répétition: vous inspirez pendant la préparation et expirez pendant l'effort. Donc, *ne retenez jamais votre souffle*; et *expirez au moment de l'effort.*

• *Portez des chaussures appropriées.* De bons souliers de course assurent la traction et la protection nécessaires. Ne vous entraînez pas pieds nus — un poids d'un seul kilo échappé de la hauteur de la taille peut blesser gravement un pied non protégé.

• *Fixez les poids.* Les collets des haltères doivent être serrés et les poids adéquatement fixés. Les poids superposés des appareils Global ou Universal ont une goupille à mettre en place.

• *Entraînez-vous à deux.* Nous vous recommandons fortement un entraînement où vous vous aiderez mutuellement au contrôle de la position des poids et des haltères.

Les soins du dos

Le bon état du dos est essentiel à une bonne posture et à la prévention des blessures pendant l'exercice, ainsi qu'aux tâches exigeant des mouvements de flexion, de soulèvement ou de déplacement des objets.

La souplesse du dos
L'exercice d'inclinaison du bassin décrit parmi les exercices d'assouplissement constitue une partie importante de l'entraînement du dos. Il aide à maintenir la souplesse des muscles lombaires, et explique la position «dos plat» nécessaire à l'exécution sans danger de l'ensemble des exercices.

La position avec inclinaison du bassin et dos plat doit être adoptée pour tous les exercices qui risquent d'entraîner une déviation de la colonne vertébrale.

La force abdominale
Les muscles abdominaux travaillent de concert avec les muscles du dos au maintien de la bonne posture normale et à la diminution des risques d'accidents lombaires.

Le redressement roulé

Le redressement roulé constitue un bon exercice pour développer et maintenir la force abdominale. Essayez les positions et les mouvements des bras; adoptez ceux qui vous permettent d'exécuter deux ou trois séries de 8 à 10 répétitions sans trop d'effort. Utilisez cette méthode pour les redressements roulés aux niveaux 1, 2 ou 3. Lorsqu'une méthode devient trop facile, passez à celle qui offre le niveau de difficulté suivant.

N'ancrez pas les pieds au sol (vous réduisez l'effort des muscles abdominaux). Ne gardez pas les jambes droites (vous augmentez la pression sur le bas du dos).

Allongé sur le dos, fléchissez les genoux; gardez les pieds à plat sur le sol. Redressez-vous jusqu'à la position assise, inclinez le bassin et pressez le bas du dos au sol au début du mouvement.

a. Redressement roulé avec appui sur le bras
Penchez-vous légèrement d'un côté et poussez doucement sur le coude et le bras pour vous redresser. Redescendez de la même manière. Penchez-vous de l'autre côté et répétez.

b. Mains sous les cuisses

c. Mains aux côtés

d. Bras croisés sur la poitrine

e. Mains aux oreilles (et non derrière les oreilles)

f. Rotation du tronc

Exécutez une rotation légère à la fin du redressement roulé, en avançant le coude vers le genou opposé. Tournez de l'autre côté. Placez les mains sur les oreilles comme en e.

L'équipement

Les programmes d'entraînement des niveaux 1, 2 et 3 peuvent être complétés sans équipement ou avec trois types d'appareils, afin de vous offrir le plus grand choix, quel que soit votre équipement. Si l'endroit où vous vous entraînez propose des appareils différents de ceux que nous décrivons, l'instructeur, à l'aide de notre guide, vous dira comment adapter votre programme à l'équipement disponible.

- *Les exercices à mains libres* s'avèrent les plus pratiques — vous les exécutez n'importe où, n'importe quand.

- *Les exercices avec haltères* peuvent être exécutés avec tous les types de poids et d'haltères, et avec des accessoires tels que bancs, supports et chaussures lestées. Les mouvements du corps étant alors moins contrôlables qu'avec les poids superposés ou les appareils Hydra, utilisez d'abord des poids légers jusqu'à ce que vous possédiez la technique.

- *Les poids superposés* comprennent un certain nombre de stations d'exercice individuelles, ou plusieurs postes autour d'un noyau central où sont réunis les leviers, les poulies et les piles de poids. La goupille de la pile de poids permet de changer la masse à soulever.

- *Les appareils Hydra* offrant un appareil différent pour chaque groupe musculaire important, plusieurs exercices peuvent être exécutés avec chacun d'eux. La résistance est assurée par un cylindre hydraulique muni d'une soupape à six réglages de vitesse ou de résistance. La résistance est directement proportionnelle à la force musculaire qui lui est appliquée. La résistance variable favorise le travail maximal des muscles sur toute l'amplitude du mouvement. La plupart des appareils Hydra font travailler deux groupes musculaires opposés pendant un exercice.

Ces quatre programmes sont conçus de façon à permettre la combinaison d'exercices utilisant différents types d'équipement; certains appareils ne sont pas toujours disponibles, ou vous avez besoin d'un peu de variété. Le niveau 1, par exemple, comprend 10 exercices dans chacun des quatre programmes. Pourvu que vous respectiez l'ordre de 1 à 10, vous avez le choix parmi plusieurs exercices à mains libres, ou avec les haltères, avec les poids superposés ou les appareils Hydra; vous organisez la session à votre goût. Vous le pouvez également au niveau 2 qui comprend 12 exercices. Le niveau 3 est un peu différent; il présente un noyau d'exercices de base, avec plusieurs variations de chaque exercice.

La technique

- Une illustration montre la position de départ et la prise des mains et décrit le mouvement à accomplir. Observez bien ces images et apprenez la technique.

- Une description du mouvement complet accompagne les exercices avec les appareils Hydra

- Pour les autres programmes, la description implique que vous reveniez lentement à la position de départ, puis recommenciez le mouvement.

- Pour les exercices isométriques (exercices où il faut prendre et maintenir une position) du programme à mains libres, la séquence exige d'abord le maintien de la position (5 à 10 secondes), puis le relâchement et finalement la répétition du mouvement.

- La prise dans laquelle les pouces sont pointés l'un vers l'autre s'appelle la pronation; lorsque les pouces sont pointés vers l'extérieur, elle se nomme supination.

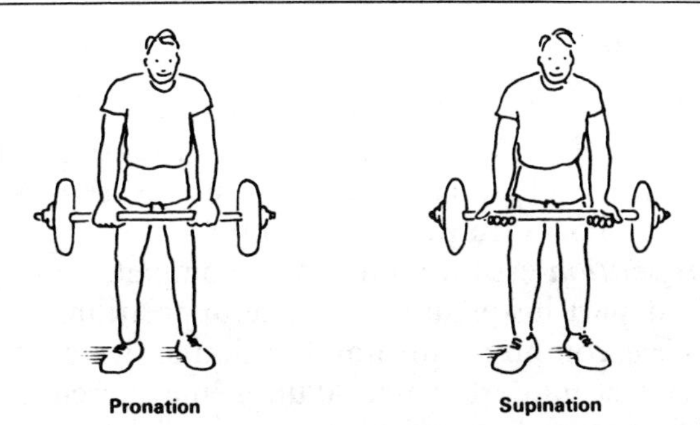

Pronation Supination

• Utilisez un support ou l'aide d'une autre personne pour placer les poids en position, lorsque vous exécutez des exercices avec un haltère sur les épaules. Votre sécurité l'exige.

• À moins d'indication contraire, vous exécutez les exercices debout avec les pieds écartés à la largeur des épaules. Pliez les genoux légèrement et maintenez l'inclinaison du bassin. L'écartement des mains sur la barre doit dépasser légèrement la largeur des épaules.

• Les exercices sur le dos ou sur un banc exigent que vous gardiez toujours le dos bien à plat. Placez les pieds sur un petit banc pour conserver l'inclinaison des hanches et garder le dos à plat.

• Respirez naturellement. Inspirez et expirez à chaque répétition, en expirant au moment de l'effort.

• Les appareils Hydra sont conçus pour l'entraînement à grande vitesse. Déplacez le levier le plus rapidement et avec la plus grande force possible, en effectuant le mouvement dans sa pleine amplitude, à chaque répétition et dans chaque série. Cette technique assure l'efficacité de l'entraînement.

• Les exercices Hydra comprenant un mouvement double (pousser et tirer, fléchir et étirer, etc.) doivent être exécutés sans pause médiane.

• Avec des appareils Hydra, gardez toujours le dos à plat sur le banc et la tête en position neutre (le menton n'est tendu ni vers l'avant ni vers la poitrine.)

Les variantes

Les exercices utilisent quatre variantes de base pour atteindre différents objectifs. Lisez attentivement la définition de chaque variante: vous les retrouverez souvent au cours du présent chapitre.

La *répétition* est un mouvement complet, de la position de départ jusqu'au retour à cette position.

La *série* comprend un nombre donné de répétitions complètes et ininterrompues d'un même exercice.

La *charge* est le poids utilisé, ou la résistance opposée au muscle.

L'*intervalle de repos* est le temps consacré au repos ou à la récupération entre des séries d'exercices, ou avant de passer à un autre exercice du programme.

La progression

L'entraînement doit augmenter de façon très graduelle avec le temps. Au niveau 1, par exemple, on suggère 2 séries de 10 répétitions pour commencer; vous progresserez graduellement vers les 3 séries de 12 répétitions, prévues à la fin des 3 mois du programme.

Supposons que vous complétiez d'abord 2 séries de 10 répétitions pendant deux semaines; ajoutez une répétition, puis une autre de plus jusqu'à 2 séries de 12. Lorsque vous ajouterez la troisième série — après quelques semaines encore — limitez les répétitions à 10 afin d'éviter une augmentation trop brusque.

Observez la même progression graduelle lorsque vous augmentez le volume au niveau 2. Au niveau 3, concentrez-vous sur l'augmentation de la force: accroissez la charge et complétez de 8 à 10 répétitions.

Si vous manquez 2 ou 3 séances, reprenez votre programme où vous l'avez laissé. Si vous sautez 4 séances ou plus, reprenez l'entraînement mais avec un volume moins élevé, que vous augmenterez graduellement.

NIVEAU 1 — MAINS LIBRES, HALTÈRES OU POIDS SUPERPOSÉS

Présentation

- Faites de l'exercice deux ou trois jours (non consécutifs) par semaine pendant les six premières semaines. Si vous commencez avec deux jours/semaine, ajoutez une troisième session par semaine pendant les sept semaines suivantes.

- Choisissez un des trois programmes et suivez-le pendant les six premières semaines. Pour plus de variété dans les sept semaines suivantes, vous pouvez passer à un autre programme ou mélanger différents exercices, pourvu que vous respectiez l'ordre des exercices, de 1 à 10.

- Suivez un entraînement en circuit: faites une première série comprenant chacun des exercices proposés, puis revenez à l'exercice 1 pour commencer la deuxième série, et ainsi de suite.

- Commencez avec 2 séries de 10 répétitions de chaque exercice. Passez graduellement, en trois mois, à 3 séries de 12 répétitions. (Voir la section «Progression», en page 110.)

- Avec les haltères, gardez une charge plutôt légère pendant les six premières semaines, de façon à bien apprendre la technique. Augmentez la charge graduellement pendant les sept semaines suivantes.

ML1. Pression des mains à la hauteur de la poitrine

Joindre les mains devant vous, à la hauteur de la poitrine. Presser les mains l'une contre l'autre.

ML2. Élévation du bras, à genoux

En faisant porter le poids sur les genoux et sur un bras, lever l'autre bras vers l'avant. Répéter en alternant.

ML3. Écart

Avancer un des pieds d'un pas. Genou de la jambe arrière pointé vers le sol, talon relevé. Reprendre la position debout. Changer de jambe.

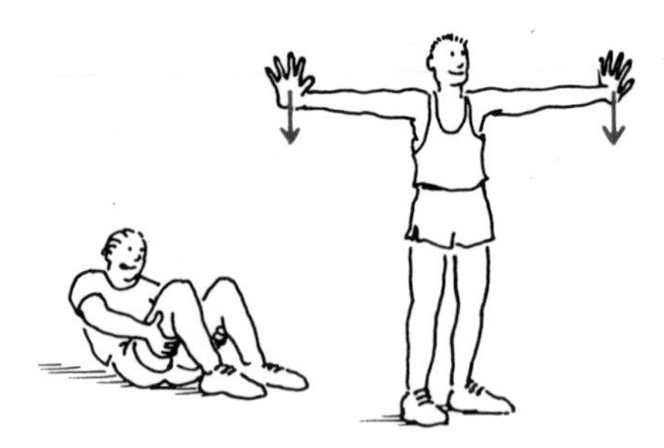

ML4. Flexion de la jambe

Un talon coincé sous un banc ou un autre appui. Contracter la jambe vers le haut et maintenir. Changer de jambe. Répéter avec différents angles au genou.

ML5. Redressement roulé

Voir page 106.

ML6. Élévation latérale des bras

Bras tendus latéralement à la hauteur des épaules. Baisser le bas des mains vers le sol, en répétitions rapides.

ML7. Élévation du bassin

Sur le dos. Contracter les abdominaux, presser le bas du dos au sol, et soulever lentement les hanches jusqu'à ce que le poids du corps soit soutenu par les épaules et par les pieds.

ML8. Extension du triceps

À genoux, mains au sol un peu en avant. Abaisser et remonter lentement le haut du corps.

ML9. Développé des bras au sol

S'agripper des mains, paumes vers le haut, à une barre horizontale ou un autre objet solide. Contracter les bras et maintenir, puis relâcher. Répéter avec les coudes à différents angles.

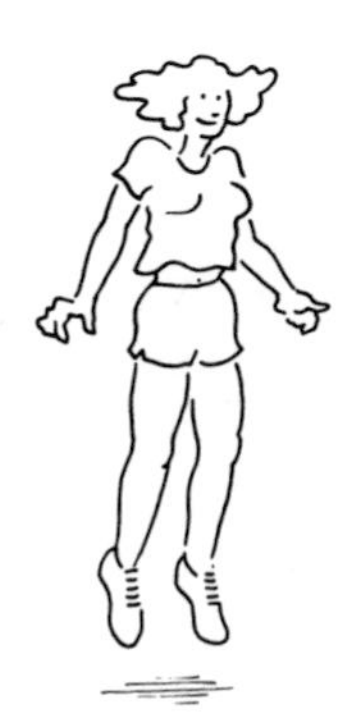

ML10. Élévation des talons

Se balancer sur l'avant des pieds. Sautiller doucement sur les orteils en évitant que les talons touchent le sol.

H1. Développé des bras sur banc

Mains en pronation. Baisser lentement l'haltère vers la poitrine, et le remonter au bout des bras.

H2. Mouvement de rame

Une main sur un tabouret ou sur un autre appui. De l'autre main, tirer l'haltère vers l'épaule, en gardant le coude éloigné du corps et au-dessus de l'appui.

H3. Demi-accroupissement

Avec un haltère sur les épaules ou un poids dans chaque main, s'accroupir lentement jusqu'à flexion maximale du genou à 90°.

H4. Flexion de la jambe

Avec une chaussure lestée, lever la jambe jusqu'à ce que le talon soit près des fesses.

H5. Redressement roulé

Voir page 106.

H6. Élévation latérale des bras

Un poids dans chaque main. Coudes légèrement infléchis et paumes en bas. Lever les bras latéralement jusqu'à ce que les coudes et les mains soient un peu plus haut que les épaules.

H7. Extension latérale

Étendu au sol, sur le côté, tête soutenue par une main, avec un poids dans l'autre main. Fléchir légèrement le bras, paume en bas, et le lever jusqu'à ce que l'haltère soit au-dessus de l'épaule.

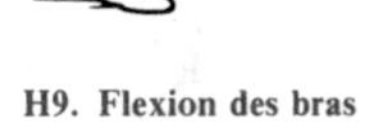

H8. Extension du triceps

Penché, une main sur un banc. Prendre un poids dans l'autre main en gardant le coude au côté, plié à 90°. Étirer l'avant-bras jusqu'à ce que le bras soit droit à l'arrière.

H9. Flexion des bras

Prendre un haltère avec les mains en supination écartées à la largeur des épaules, coudes aux côtés. Soulever la barre jusqu'à la hauteur des épaules.

H10. Élévation du talon

Appuyé contre une chaise ou un mur. Prendre un poids dans la main droite. Debout, jambe gauche pliée. En gardant la jambe droite raide, se hausser le plus possible sur les orteils. Répéter de l'autre côté.

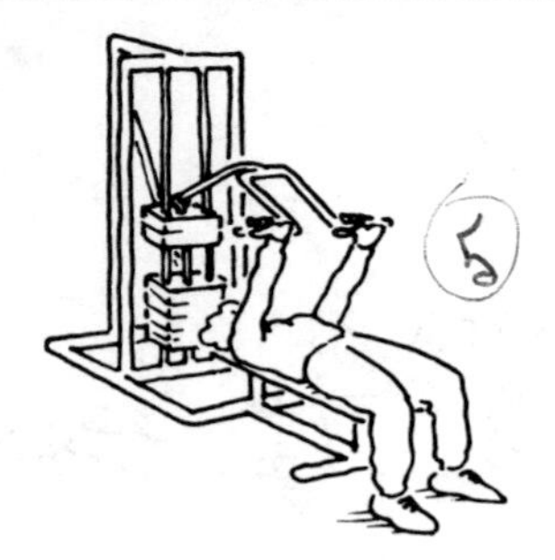

PS1. Développé des bras sur banc

(Station du développé des bras sur banc) Mains en pronation, élever la barre au bout des bras.

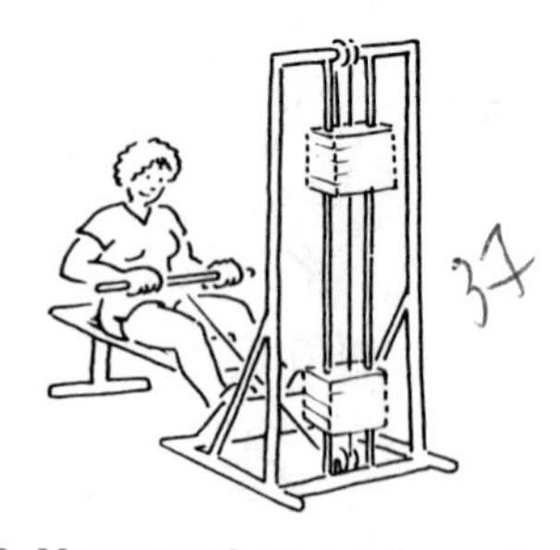

PS2. Mouvement de rame, assis

(Poulie inférieure) Mains en pronation, tirer la barre vers la poitrine.

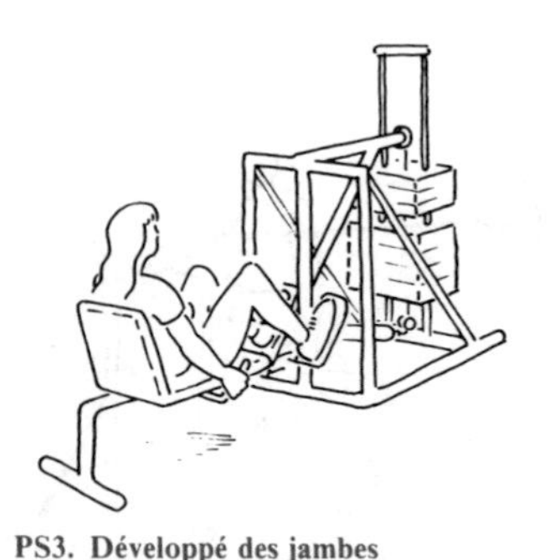

PS3. Développé des jambes

(Station du développé des jambes) Siège réglé de façon à avoir les genoux à 90°. Redresser les jambes en poussant des pieds sur les pédales.

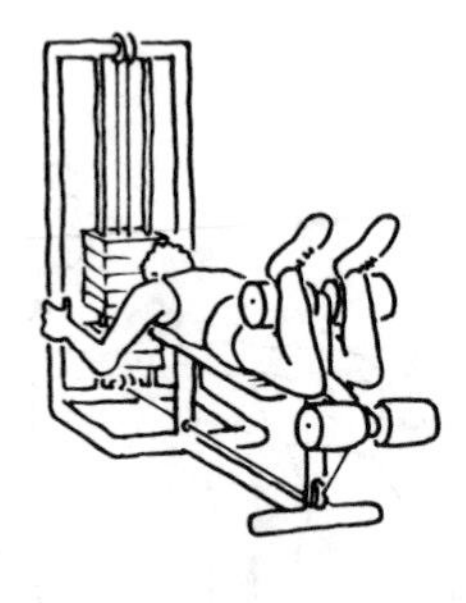

PS4. Flexion des jambes

(Appareil pour les cuisses et les genoux) Rotules dépassant à peine l'extrémité du banc, fléchir les genoux en ramenant les talons vers les fesses.

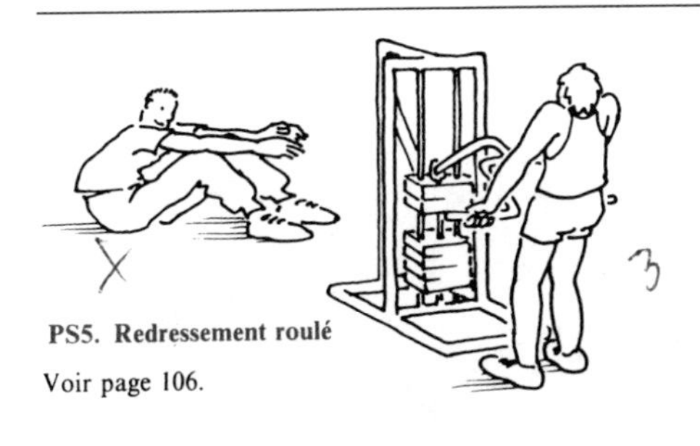

PS5. Redressement roulé

Voir page 106.

PS6. Haussement des épaules

(Station du développé des bras sur banc) Bras droits, mains en pronation, hausser les épaules le plus possible.

PS7. Flexion latérale

(Station du développé de la poitrine) De côté par rapport à l'appareil, saisir la barre, paume du côté de la jambe. Fléchir le buste latéralement (et non vers l'avant ou vers l'arrière) le plus possible.

PS8. Développé du triceps

(Station du grand dorsal) Mains rapprochées, en pronation, coudes pliés à angle droit. Pousser vers le sol jusqu'à pleine extension des bras.

PS9. Flexion des bras

(Poulie inférieure) Mains en supination, coudes près du corps, bras étendus. Relever la barre jusqu'à la hauteur des épaules.

PS10. Flexion plantaire

(Station du développé des jambes) Assis, jambes droites, base des orteils sur les pédales. Pousser les orteils loin de vous, relâcher et laisser les orteils revenir en direction des chevilles.

NIVEAU 1 —
APPAREILS HYDRA

Présentation

- Grâce à la double action de certains appareils Hydra, quatre des exercices couvrent huit groupes musculaires ou parties du corps. Les exercices doubles sont identifiés par couples: 1 & 2, 3 & 4, etc.

- Étudiez les illustrations pour savoir quel équipement utiliser; consultez un instructeur si vous hésitez.

- Faites de l'exercice deux ou trois jours (non consécutifs) par semaine pendant les six premières semaines. Si vous commencez avec deux jours par semaine, ajoutez une troisième session pendant les sept semaines suivantes.

- Suivez un entraînement en circuit pendant les six premières semaines: exécutez une première série avec chacun des exercices proposés, puis revenez à l'exercice 1 pour la deuxième série, et ainsi de suite.

- Choisissez un réglage (de 1 à 6) qui permet de faire de 12 à 15 répétitions aux 20 secondes. Complétez 2 séries. Augmentez graduellement à 20 répétitions aux 20 secondes (1 à la seconde).

- Adoptez un rapport 1: 2 pour le cycle travail-repos (20 secondes travail suivies de 40 secondes de repos, par exemple).

- Dès que vous aurez atteint le rythme d'une répétition à la seconde pour les deux séries du circuit, ajoutez la troisième série.

- Lorsque vous aurez atteint le rythme d'une répétition à la seconde pour les trois séries du circuit, passez au réglage supérieur (de 2 à 3, par exemple), jusqu'à ce que vous ayez réalisé le même rythme à ce niveau.

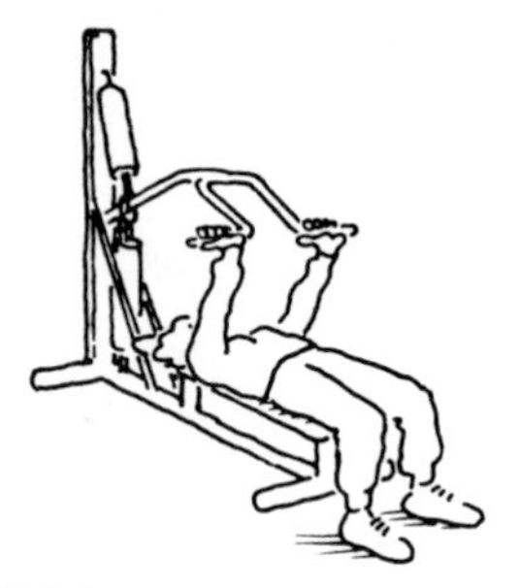

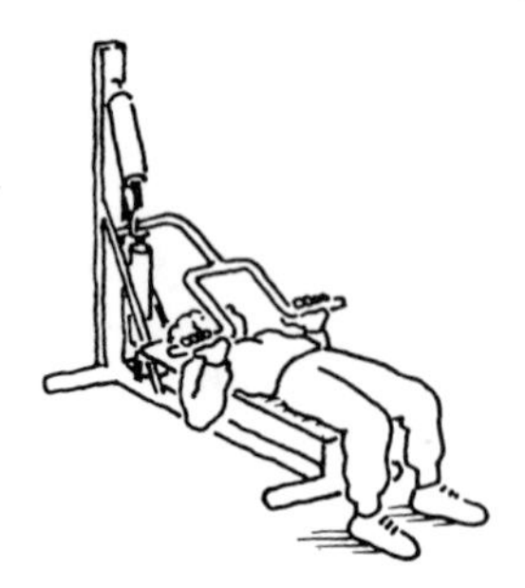

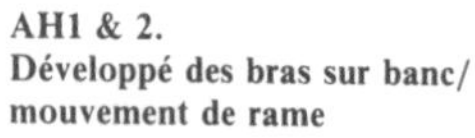

AH1 & 2.
Développé des bras sur banc/ mouvement de rame

Sur le dos, saisir la barre en pronation. Pousser la barre vers le haut jusqu'à extension complète des bras, puis la ramener à la position de départ.

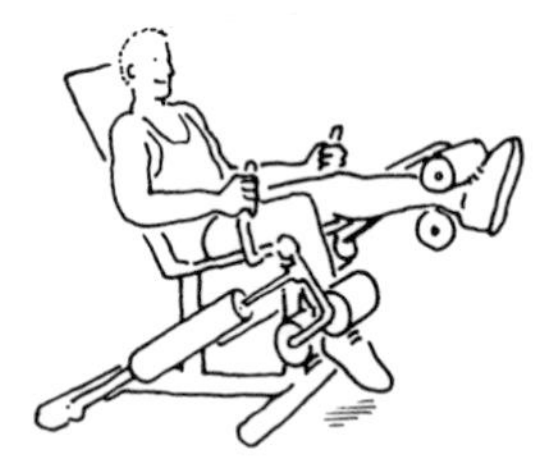

AH3 & 4.
Extension et flexion des jambes

Commencer avec une jambe étendue et l'autre baissée. Baisser la jambe du haut en tendant celle du bas. Inverser le mouvement.

AH5. Abdominaux

(Chaise Hydra «Total Power») Utiliser les muscles abdominaux pour pousser les leviers en avançant le torse, puis revenir en position de départ. Bloquer les coudes et les épaules vers l'avant pendant tout le mouvement. (On peut substituer le redressement roulé, page 106.)

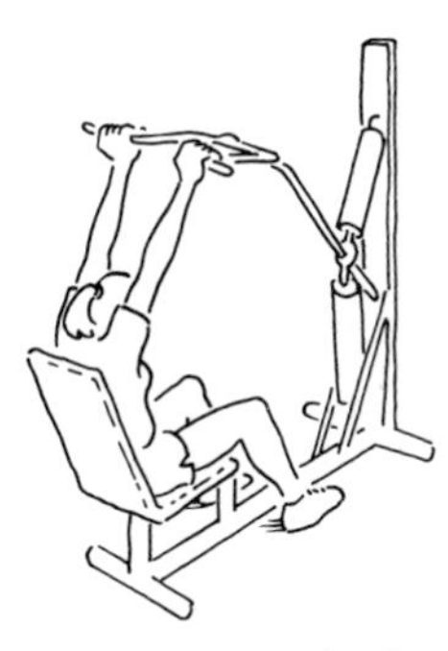

AH6 & 7. Développé et traction des bras sur plan incliné

Pousser le levier, en prise de pronation, jusqu'à extension complète des bras au dessus de la tête, puis le ramener à sa position de départ.

AH8 & 9. Flexion et extension des bras

Un bras fléchi, l'autre tendu. Garder le dos droit et les épaules immobiles, et fléchir le bras tendu en pliant l'autre. Inverser le mouvement.

AH10. Élévation des talons

Pieds à plat sur le sol. Se hausser le plus possible sur les orteils, puis rabaisser les talons à la position de départ. Répéter.

NIVEAU 2 —
MAINS LIBRES, HALTÈRES OU POIDS SUPERPOSÉS

Présentation

- Entraînez-vous trois jours (non consécutifs) par semaine pendant les six premières semaines. Ajoutez un quatrième jour pendant les sept semaines suivantes afin d'intensifier votre programme d'entraînement.

Si vous commencez à ce niveau:

- Suivez un entraînement en circuit pendant les six premières semaines: exécutez une première série avec chacun des exercices proposés. Revenez à l'exercice 1 pour la deuxième série, et ainsi de suite. Pendant les sept semaines suivantes, adoptez la méthode du mini-circuit expliquée ci-dessous.
- Vous choisissez un des trois programmes et le conservez pendant les six premières semaines. Pour plus de variété durant les sept semaines suivantes, essayez un nouveau programme ou mélangez des programmes différents, tout en respectant l'ordre de 1 à 12.
- Débutez par 2 séries de 10 répétitions de chaque exercice. Progressez graduellement, pendant trois mois, vers 3 séries de 15 répétitions. (Voir la section «Progression», en page 110.)

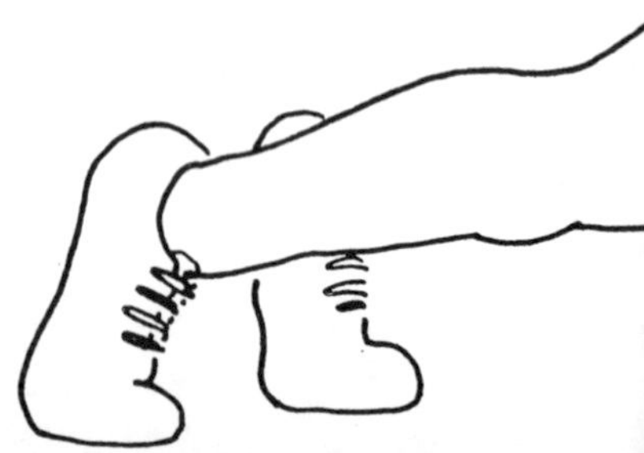

• Pour les haltères, gardez pendant les six premières semaines une charge plutôt légère, de façon à bien apprendre la technique. Augmentez la charge graduellement pendant les sept semaines suivantes.

Si vous avez complété le niveau 1:

• Adoptez la méthode du mini-circuit. Répartissez les exercices en quatre groupes: 1 à 4, 5 à 7, 8 à 11, 12. Complétez les séries et les répétitions des exercices de chaque groupe avant de passer au groupe suivant.
• Débutez avec 3 séries de 10 répétitions. Passez graduellement, en trois mois, à 3 séries de 15 répétitions.
• Expérimentez pour fixer la charge convenable, assez forte pour représenter un défi, mais pas assez pour vous faire perdre la maîtrise de la technique.

ML1. Pompes

Corps droit, poids sur les mains et sur les orteils, se soulever en redressant les bras. Si nécessaire, commencer en faisant porter le poids sur les mains et sur les genoux.

ML2. Traction du haut du dos

Joindre les mains à la hauteur de la poitrine. Tirer sans relâcher la prise, et maintenir.

ML3. Demi-accroupissement

Orteils légèrement pointés vers l'extérieur. S'accroupir lentement jusqu'à la formation d'un angle de 90° aux genoux.

ML4. Flexion de la jambe

(Avec un partenaire) Étendu sur le ventre, plier un genou. Tirer le talon vers les fesses, contre la résistance du partenaire. Puis, résister pendant que le partenaire repousse la jambe vers le sol.

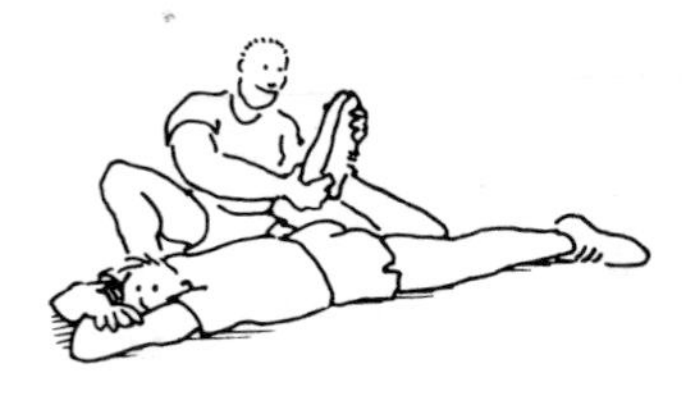

ML5. Redressement roulé

Voir page 106.

ML6. Élévation latérale des bras

Tenir une corde à sauter avec les paumes vers l'intérieur. Écarter les mains. On peut aussi presser le dos des mains contre le cadre d'une porte.

ML7. Roulement et étirement

À quatre pattes, relever un genou en direction du nez. Puis étirer lentement la jambe vers l'arrière. Éviter de donner un coup de pied trop haut ou d'arquer le dos.

ML8. Chaise au mur

Cuisses parallèles au plancher et dos à plat contre un mur, maintenir cette position.

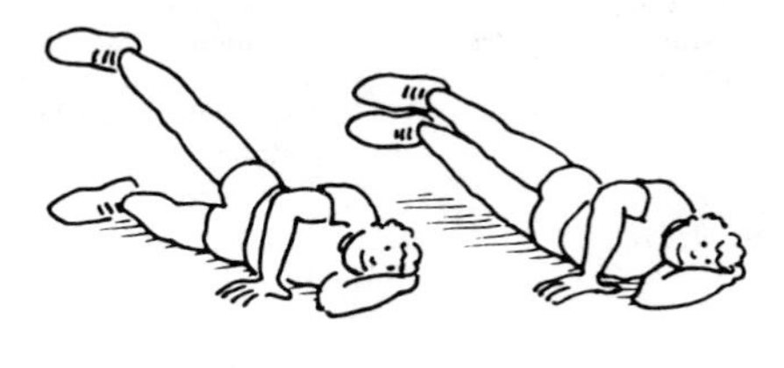

ML9. Élévation latérale des jambes

Sur le côté, lever lentement la jambe supérieure, puis lui joindre la jambe inférieure.

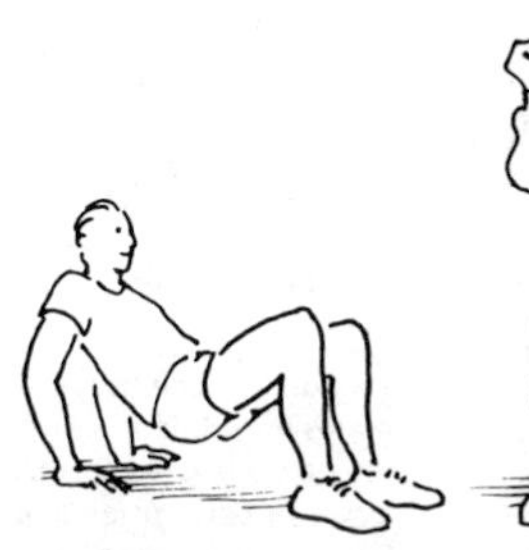

ML10. Pompes renversées

Appuyé sur les mains et les pieds, dos vers le sol. Plier les coudes à 90°, en baissant le corps vers le sol.

ML11. Flexion des bras

Bras aux côtés, à la hauteur des épaules. Fléchir et étirer les coudes en contractant les biceps et les triceps dans toute l'amplitude du mouvement.

ML12. Élévation du talon

S'appuyer sur une chaise ou contre un mur. Plier la jambe gauche et se hausser le plus possible sur les orteils de la jambe droite. Changer de côté. Garder bien droite la jambe d'appui.

H1 Développé des bras sur plan incliné

Mains en pronation, soulever l'haltère jusqu'au bout des bras, directement au-dessus des épaules.

H2. Mouvement de rame, position inclinée

Penché, front appuyé sur un tabouret élevé ou sur un autre appui. Mains en pronation, coudes sortis et au-dessus de la barre. Tirer l'haltère vers la poitrine.

H3. Écart

Porter un haltère sur les épaules, mains en pronation. Faire un pas en avant. Le genou de la jambe arrière pointe vers le sol, et le talon se soulève. Reprendre la position debout. Changer de jambe.

H4. Flexion des jambes

S'appuyer d'une main sur une barre. Plier le genou de la jambe opposée, en ramenant le talon vers les fesses.

H5. Redressement roulé

Voir page 106.

H6. Élévation des coudes

Prendre un haltère, mains en pronation et bras baissés devant vous. Lever la barre jusqu'à la hauteur du menton en gardant les coudes au-dessus de la barre.

H7. Traction arrière

Sur le dos, sur un banc. Un haltère sur la poitrine, mains en pronation. Faire passer la barre par-dessus la tête et la rabaisser lentement vers le sol.

H8. Extension de la jambe

Assis sur un banc et muni de chaussures lestées, relever la jambe à l'horizontale.

H9. Élévation latérale de la jambe

Couché sur le côté, et muni de chaussures lestées, élever la jambe lentement (en la gardant droite, orteils pointés vers le sol.)

H10. Développé du triceps

Sur le dos, sur un banc. Tenir un haltère à bout de bras au-dessus des épaules, mains en pronation. Fléchir les coudes et ramener la barre tout près du front.

H11. Flexion du bras, assis

Assis sur un banc. Se pencher vers l'avant. Placer la main gauche à l'intérieur de la cuisse droite. Presser le bras droit contre le gauche et relever un poids du plancher jusqu'à la hauteur des épaules. Répéter en alternant.

H12. Élévation des talons

Un haltère sur les épaules, mains en pronation, jambes bien droites. Se hausser le plus possible sur les orteils.

PS1. Développé des bras sur banc

(Station du développé des bras sur banc) Mains en pronation, développer la barre jusqu'au bout des bras.

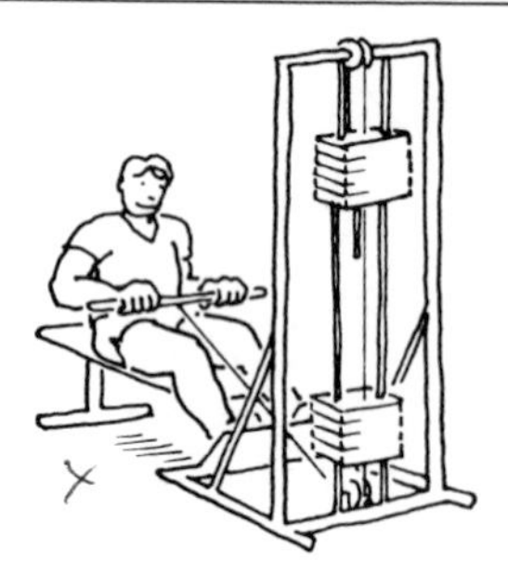

PS2. Mouvement de rame, assis

(À la poulie inférieure) Mains en pronation, écartées de la largeur des épaules, tirer la barre vers la poitrine.

PS3. Développé des jambes

(Station du développé des jambes) Siège réglé de façon à avoir un angle de 90° aux genoux. Pieds appuyés sur les pédales, allonger les jambes en poussant les pédales.

PS4. Flexion des jambes

(Appareil pour les cuisses et les genoux) Couché sur le ventre, rotules dépassant à peine l'extrémité du banc. Fléchir les genoux en ramenant les talons vers les fesses.

PS5. Redressement roulé

Voir page 106.

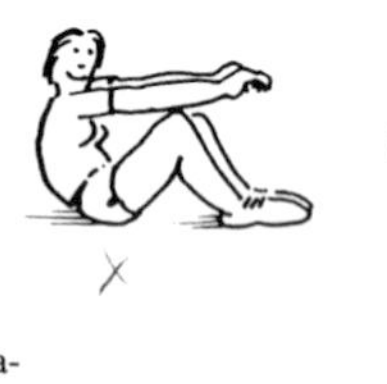

PS6. Élévation des coudes

(À la poulie inférieure) Mains en pronation. En gardant les coudes sortis et au-dessus de la barre, tirer la barre jusqu'à la hauteur du menton.

PS7. Traction sur la nuque

(Station du grand dorsal) Agenouillé, mains en pronation, abaisser la barre derrière la tête.

PS8. Extension des jambes

(Appareil pour les cuisses et les genoux) Assis sur le banc, le dessus des pieds placé sous la barre capitonnée, étirer les genoux pour allonger les jambes vers l'avant. Ne pas bloquer les genoux.

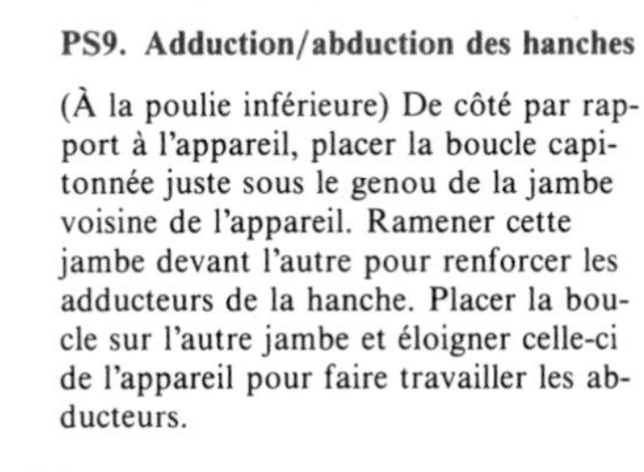

PS9. Adduction/abduction des hanches

(À la poulie inférieure) De côté par rapport à l'appareil, placer la boucle capitonnée juste sous le genou de la jambe voisine de l'appareil. Ramener cette jambe devant l'autre pour renforcer les adducteurs de la hanche. Placer la boucle sur l'autre jambe et éloigner celle-ci de l'appareil pour faire travailler les abducteurs.

PS10. Flexions aux barres parallèles

(Barres parallèles) Saisir le guidon, paumes vers l'intérieur. Garder les bras droits et plier les genoux pour faire porter le poids sur les mains. Descendre le corps en fléchissant les coudes jusqu'à 90°.

PS11. Tractions à la barre

(Barre fixe) Mains en supination sur la barre, paumes vers soi et écartées de la largeur des épaules. Se soulever jusqu'à ce que le menton atteigne la barre.

PS12. Élévation des talons

(Station du développé de l'épaule) En tenant la barre avec les mains en pronation, se hausser le plus possible sur les orteils.

NIVEAU 2 —
APPAREILS HYDRA

Présentation

• Grâce à la double action de certains appareils Hydra, quatre des exercices couvrent huit groupes musculaires ou parties du corps. Les exercices doubles sont identifiés par couples: 1 & 2, 3 & 4, etc.

• Étudiez les illustrations pour savoir quel équipement utiliser; consultez un instructeur si vous hésitez.

• Faites de l'exercice trois jours (non consécutifs) par semaine pendant les six premières semaines. Ajoutez un quatrième jour pendant les sept semaines suivantes afin d'intensifier votre programme d'entraînement.

Si vous commencez à ce niveau:

• Suivez un entraînement en circuit pendant les six premières semaines: faites une première série comprenant chaque exercice proposé, puis revenez à l'exercice 1 pour la deuxième série, et ainsi de suite. Après les six premières semaines, adoptez la méthode du mini-circuit expliquée ci-dessous.

• Choisissez un réglage (de 1 à 6) qui permet de faire 20 répétitions environ aux 20 secondes. Complétez 2 séries pour commencer. Ajoutez une troisième série lorsque vous vous sentez prêt.

• Adoptez un rapport 1: 2 pour le cycle travail-repos (20 secondes de travail suivies de 40 secondes de repos, par exemple).

• Lorsque vous atteignez le rythme d'une répétition à la seconde pour les trois séries, passez au réglage supérieur (de 2 à 3, par exemple), jusqu'à ce que vous ayez réalisé le même rythme à ce niveau.

Si vous avez complété le niveau 1:

• Adoptez la méthode du mini-circuit. Répartissez les exercices en quatre groupes: 1 à 4, 5 à 7, 8 à 11, 12. Complétez les séries et les répétitions des exercices de chaque groupe avant de passer au groupe suivant. Utilisez le réglage 1 pour la première série, le 5 pour la deuxième, et le 3 pour la troisième.

• Faites le plus de répétitions possible pendant les 20 secondes de travail; et accordez-vous 40 secondes de repos avant de pratiquer les exercices suivants.

• Pour augmenter l'intensité du travail, utilisez les réglages 2, 6, et 4 pendant des séries consécutives. Vous accroîtrez encore la progression en réduisant la période de récupération à 30 secondes et, éventuellement, à 20 secondes.

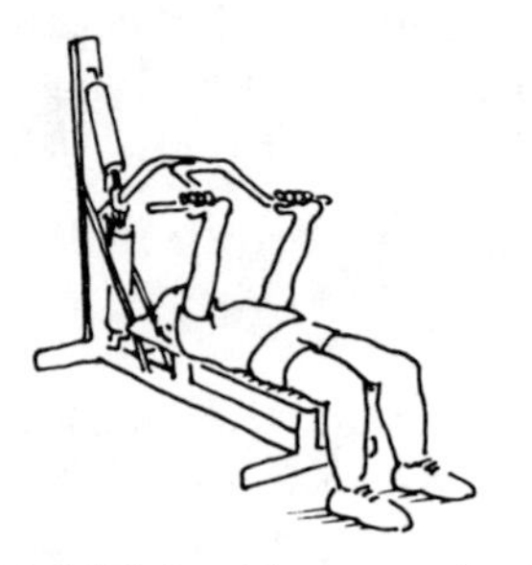

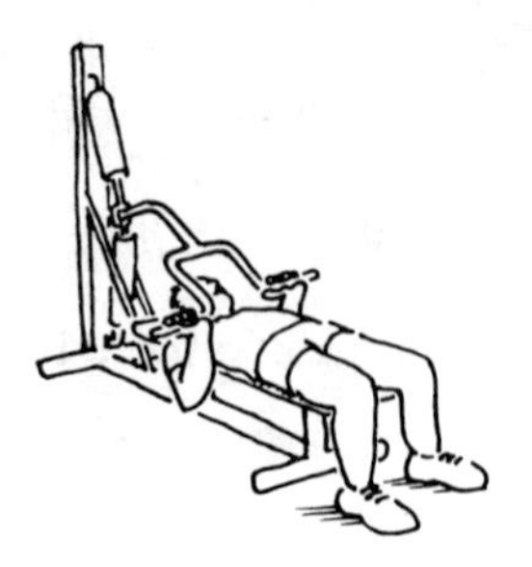

AH1 & 2. Développé des bras sur banc/ mouvement de rame

Sur le dos, saisir la barre en pronation. Pousser la barre vers le haut jusqu'à extension complète des bras, puis la ramener à la position de départ.

AH3 & 4. Extension et flexion des jambes

Commencer avec une jambe étendue et l'autre baissée. Baisser la jambe du haut en tendant celle du bas. Inverser le mouvement.

AH5. Abdominaux

(Chaise Hydra «Total Power») Utiliser les muscles abdominaux pour pousser les leviers en avançant le torse, puis revenir à la position de départ. Bloquer les coudes et les épaules en avant pendant tout le mouvement. (On peut substituer le redressement roulé, page 106.)

AH6 & 7. Développé et traction des bras sur plan incliné

Pousser le levier, en prise de pronation, jusqu'à extension complète des bras au dessus de la tête, puis le ramener à sa position de départ.

AH8. Demi-accroupissement

À demi accroupi (jambes formant un angle de 90° aux genoux et au bassin), se hausser jusqu'à extension complète des jambes, puis revenir à la position de départ. Répéter.

AH9. Adduction/abduction des hanches

Commencer avec les jambes écartées au maximum. Les presser l'une contre l'autre, puis les écarter de nouveau.

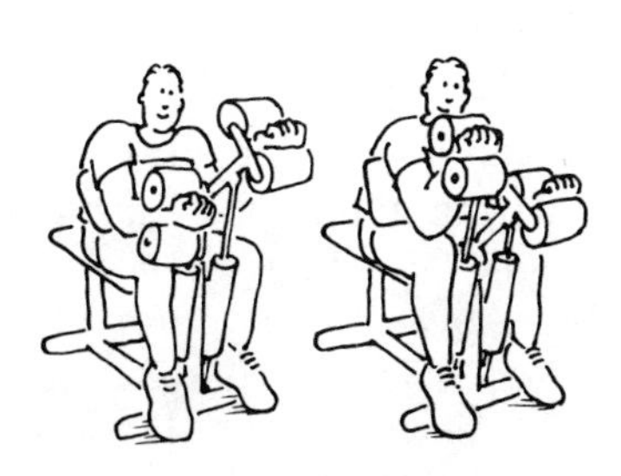

AH10 & 11. Flexion et extension des bras

Un bras fléchi, l'autre tendu. Garder le dos droit et les épaules immobiles, et fléchir le bras tendu en pliant l'autre. Inverser le mouvement.

AH12. Élévation des talons

Pieds à plat sur le sol. Se hausser le plus possible sur les orteils, puis rabaisser les talons à la position de départ. Répéter.

NIVEAU 3 — MAINS LIBRES, HALTÈRES, POIDS SUPERPOSÉS OU APPAREILS HYDRA

Présentation

Vous trouverez à la page 137 le programme de base comprenant 16 exercices pour les mains libres, les haltères, ou les poids superposés. Les exercices utilisant l'équipement Hydra sont mentionnés parmi les variations. Ces variations sont interchangeables avec les exercices de base; elles conviennent aux mêmes groupes musculaires. Vous pouvez donc combiner les exercices selon vos goûts et l'équipement dont vous disposez.

Les exercices sont tirés des programmes de niveau 1 ou 2, ou du catalogue d'exercices de la page 138. Le numéro de chaque exercice indique où vous pouvez le trouver.

Si vous commencez à ce niveau:

- Entraînez-vous trois jours (non consécutifs) par semaine pendant les six premières semaines. Ajoutez un quatrième jour pendant les sept semaines suivantes afin d'intensifier votre programme d'entraînement.

- Pendant les six premières semaines, exécutez les exercices de base, en leur substituant quelques variations si vous ne disposez pas de l'équipement nécessaire. Pendant les sept semaines suivantes, adoptez un autre programme ou entremêlez plusieurs programmes différents, en respectant toutefois l'ordre de 1 à 16.

- Pendant les deux premières semaines, ne faites que les exercices pairs, puis ajoutez les autres exercices.

• Si vous faites un programme pour les *mains libres,* avec les *haltères* ou les *poids superposés*, adoptez l'entraînement en circuit pendant le premier mois: complétez une première série comprenant chacun des exercices de votre programme; revenez à l'exercice 1 pour la deuxième série, et ainsi de suite. Après le premier mois, adoptez la méthode du mini-circuit, qui sépare les exercices en cinq groupes: 1 à 4, 5 à 8, 9, 10 à 13 et 14 à 16. Complétez toutes les séries et les répétitions des exercices de chaque groupe avant de passer au groupe suivant. Exécutez d'abord 3 séries de 12 répétitions; augmentez graduellement à 3 séries de 8 répétitions, mais en utilisant des charges de plus en plus fortes. (Voir la section «Progression» en page 110.)

• Si vous utilisez les *appareils Hydra*, adoptez pendant 4 à 6 semaines l'entraînement en circuit; utilisez les réglages, le rapport travail-repos ainsi que les appareils présentés au niveau 1. Pour compléter les 13 semaines, utilisez les réglages, le rapport travail-repos et les appareils présentés au niveau 2. Finalement, recourez à la méthode du mini-circuit, et aux groupes d'exercices 1 à 4, 5 à 8, 9, 10 à 13 et 14 à 16.

Si vous avez complété le niveau 2:

• Entraînez-vous 3 ou 4 fois par semaine.

• Pour l'exécution d'un programme pour les *mains libres,* avec les *haltères* ou les *poids superposés*, adoptez la méthode du mini-circuit, en séparant les exercices en cinq groupes: 1 à 4, 5 à 8, 9, 10 à 13 et 14 à 16. Complétez les séries et les répétitions des exercices de chaque groupe avant de passer au groupe suivant. Exécutez d'abord 3 séries de 12 répétitions; augmentez graduellement à 3 séries de 8 répétitions, en utilisant des charges de plus en plus fortes. (Voir la section «Progression» à la page 110.) Le temps nécessaire pour passer à l'exercice suivant suffit comme intervalle de repos entre les exercices. Calculez de 45 à 90 secondes de repos entre les différentes séries d'un circuit d'exercices.

• Si vous utilisez les *appareils Hydra*, adoptez la méthode du mini-circuit et les groupes 1 à 4, 5 à 8, 9, 10 à 13 et 14 à 16. Après 5 ou 6 semaines, conservez l'ordre des exercices, mais terminez les 3 séries sur chaque appareil avant de passer au groupe suivant. Après 5 ou 6 semaines supplémentaires, essayez les réglages et les répétitions ci-dessous:

Réglage de la soupape	Répétitions
1	10
3	6
5	3
6	2
5	3
3	6
1	10

Ces 7 sous-séries constituent une série complète. Le temps nécessaire pour changer le réglage suffit comme intermède de repos entre les sous-séries. Adoptez un rapport travail-repos de 1:2 (si une série exige une minute de travail, reposez-vous deux minutes avant la suivante). Durant les 3 premières semaines du programme, ne complétez qu'une série de chaque exercice. Plus tard, vous compléterez 2 séries de chaque exercice, selon la méthode du mini-circuit (groupes: 1 à 4, 5 à 8, 9, 10 à 13, 14 à 16). Éventuellement, vous devriez compléter 3 séries de chaque exercice.

TOUS LES PROGRAMMES

N.B. C = Catalogue d'exercices; ML = Mains Libres; H = Haltères; PS = Poids Superposés; AH = Appareils Hydra.

	Exercice	Programme de base	Variations
1	Élévation latérale des bras sur banc	C1	Niveau 1, ML1; C2
2	Développé des bras sur banc	Niveau 1, PS1	Niveau 1, H1, AH1&2; Niveau 2, ML1, H1; C12
3	Extension des jambes	Niveau 2, PS8	Niveau 1, AH3&4; Niveau 2, H8; C15
4	Développé des jambes	Niveau 1, PS3	Niveau 1, ML3, H3; Niveau 2, AH8
5	Élévation latérale des bras	Niveau 1, H6	Niveau 2, ML6; C3, C16
6	Mouvement de rame, debout	Niveau 2, H6	Niveau 1, PS6; Niveau 2, PS6; C4, C5
7	Mouvement de rame, assis	Niveau 1, PS2	Niveau 1, H2; Niveau 2, H2; C6
8	Traction sur la nuque	Niveau 2, PS7	Niveau 1, H7, AH6&7; Niveau 2, H7
9	Adduction-abduction des hanches	Niveau 2, ML9	Niveau 2, PS9, H9, AH9
10	Flexion des bras	Niveau 1, H9	Niveau 1, PS9, AH8&9; Niveau 2, H11
11	Tractions à la barre	Niveau 2, PS 11	Niveau 2, PS7; C8
12	Développé du triceps	Niveau 1, PS8	Niveau 1, ML8, H8; Niveau 2, H10
13	Flexions aux barres parallèles	Niveau 2, PS10	C7
14	Élévation des talons	Niveau 1, PS10	Niveau 1, H10, AH10; Niveau 2, H12, PS12
15	Redressement roulé	Page 106	C9, C10, C11
16	Contraction/ extension des doigts	C13	C14

C1. Élévation latérale des bras sur banc

Sur le dos, sur un banc, poids maintenus à bout de bras au-dessus des épaules, coudes légèrement fléchis. Abaisser les bras lentement, de chaque côté, vers le sol. Revenir à la position de départ.

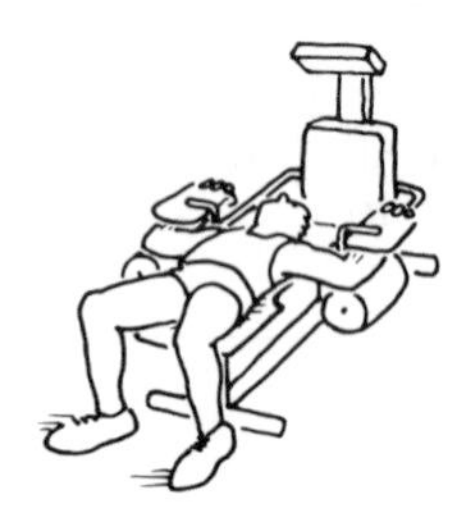

C2. Mouvement «papillon» sur le dos

(Hydra) Étendu sur le dos, rapprocher simultanément les deux leviers au centre, au-dessus de soi. Les ramener à leur position de départ.

C3. Élévation latérale d'un bras

(À la poulie inférieure) Debout, appuyé sur un bras, de côté par rapport à l'appareil. Garder l'autre bras bien droit en levant la barre latérale jusqu'à la hauteur des épaules.

C4. Développé des épaules en position assise

(Station du développé des épaules) Mains en pronation, pousser la barre au-dessus de la tête. Le bassin doit rester incliné et le dos droit.

C5. Mouvement de rame vertical/extension des bras vers le sol

(Hydra) Soulever le levier jusqu'à ce que les mains soient juste sous le menton, en gardant les coudes au-dessus de la barre. Ramener le levier à sa position de départ.

C6. Élévation latérale en position inclinée

Assis sur un tabouret, un poids dans chaque main. Se pencher et lever les poids à la hauteur des épaules, en gardant les coudes légèrement fléchis.

C7. Extension des bras vers le sol

(Station du grand dorsal) Mains en pronation, baisser la barre devant vous en gardant les coudes au-dessus du niveau de la barre.

C8. Développé et traction des bras avec mains rapprochées

(Hydra) Étendu sur le dos, pousser le levier vers le haut jusqu'à extension complète des bras, puis le ramener à sa position de départ.

C9. Rotation des hanches

Sur le dos, au sol, bras étendus vis-à-vis des épaules. Ramener les genoux vers la poitrine en traînant les talons sur le sol, puis rouler les jambes d'un côté vers le sol. Rouler les jambes de l'autre côté.

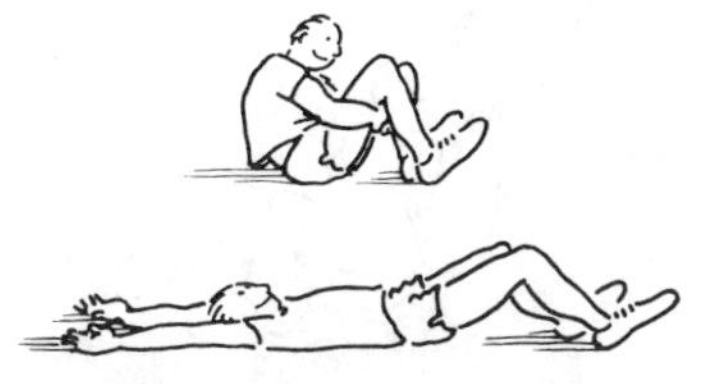

C10. Redressement «ouvert-fermé»

Sur le dos, au sol, bras par-dessus la tête. Redresser le haut du corps et ramener les jambes vers la poitrine en traînant les talons sur le sol. Finir en position assise fermée, bras entourant les cuisses.

C11. Chaise abdominale

(Chaise Hydra «Total Power») Utiliser les muscles abdominaux pour pousser les leviers vers l'avant en redressant le torse, puis revenir à la position de départ. Bloquer les coudes et avancer les épaules pendant tout le mouvement.

C12. Développé des bras/mouvement de bras sur plan incliné

(Chaise Hydra «Total Power») Avancer les leviers jusqu'à ce que les bras soient en complète extension, puis les ramener à la position de départ.

C13. Contraction/extension des doigts

Serrer les poings et les maintenir fermés. Étendre les doigts au maximum et les maintenir étendus.

C14. Contraction des mains

(Station de la contraction des mains) Mains en pronation, pouces en crochet autour de la barre d'appui. Tirer la poignée de droite, puis celle de gauche, vers la barre. (Serrer une balle de tennis fait travailler les mêmes muscles.)

C15. Extension et flexion des jambes

(Chaise Hydra «Total Power») Tirer les genoux complètement, puis les ramener à la position de départ.

C16. Extension des bras au-dessus de la tête/traction des bras vers le bas

(Chaise Hydra «Total Power») Saisir le levier au-dessus de la tête et le lever jusqu'à extension complète des bras, puis le rabaisser à la position de départ.

TOUS LES PROGRAMMES DE HAUT NIVEAU

Bien qu'une présentation complète des programmes de haut niveau dépasse l'envergure de ce guide, voici deux méthodes que vous pouvez utiliser si vous dépassez le niveau 3.

Les programmes réguliers

Dans un programme régulier, qu'on peut substituer à l'entraînement en circuit, les séries et les répétitions de chaque exercice sont exécutées avant de passer à l'exercice suivant. Plus long que l'entraînement en circuit, ce programme est plus efficace et plus exigeant; les groupes musculaires et les parties du corps travaillent les uns après les autres, et pratiquement sans pause. Ce rythme constitue un changement appréciable après plusieurs mois au niveau 3.

Les programmes cycliques

Afin de pousser au maximum votre progression à long terme, il importe de varier de temps à autre l'intensité des sessions. Des semaines ininterrompues de dures sessions peuvent provoquer le surentraînement, causer des blessures ou engendrer de l'ennui. Les programmes cycliques proposent de courtes périodes de «repos actif» au milieu de périodes plus longues d'entraînement intensif. On peut soit employer des charges plus légères en augmentant le nombre des répétitions, soit exécuter des séries ou des répétitions moins nombreuses au cours de deux ou trois sessions avant de reprendre le programme global, soit encore inclure une semaine où les sessions sont moins nombreuses.

Il existe plusieurs manières d'organiser un programme cyclique et d'éviter le surentraînement; mais le principe reste le même. Il suffit d'éviter les sessions dures ininterrompues, et d'alterner régulièrement séquences difficiles et séquences faciles. Ce principe est particulièrement important lorsque vous travaillez depuis longtemps au niveau 3, lequel constitue essentiellement un programme permanent.

Votre fiche d'entraînement

N.B. S = série; R = répétition

Exercice	Date					
	Poids					
	S/R					
	Poids					
	S/R					
	Poids					
	S/R					
	Poids					
	S/R					
	Poids					
	S/R					
	Poids					
	S/R					
	Poids					
	S/R					
	Poids					
	S/R					
	Poids					
	S/R					
	Poids					
	S/R					
	Poids					
	S/R					
	Poids					
	S/R					

Appareils Hydra: si vous utilisez les appareils Hydra, notez le rapport travail-repos à côté du nom de l'exercice; inscrivez les divers réglages dans l'espace réservé aux poids.

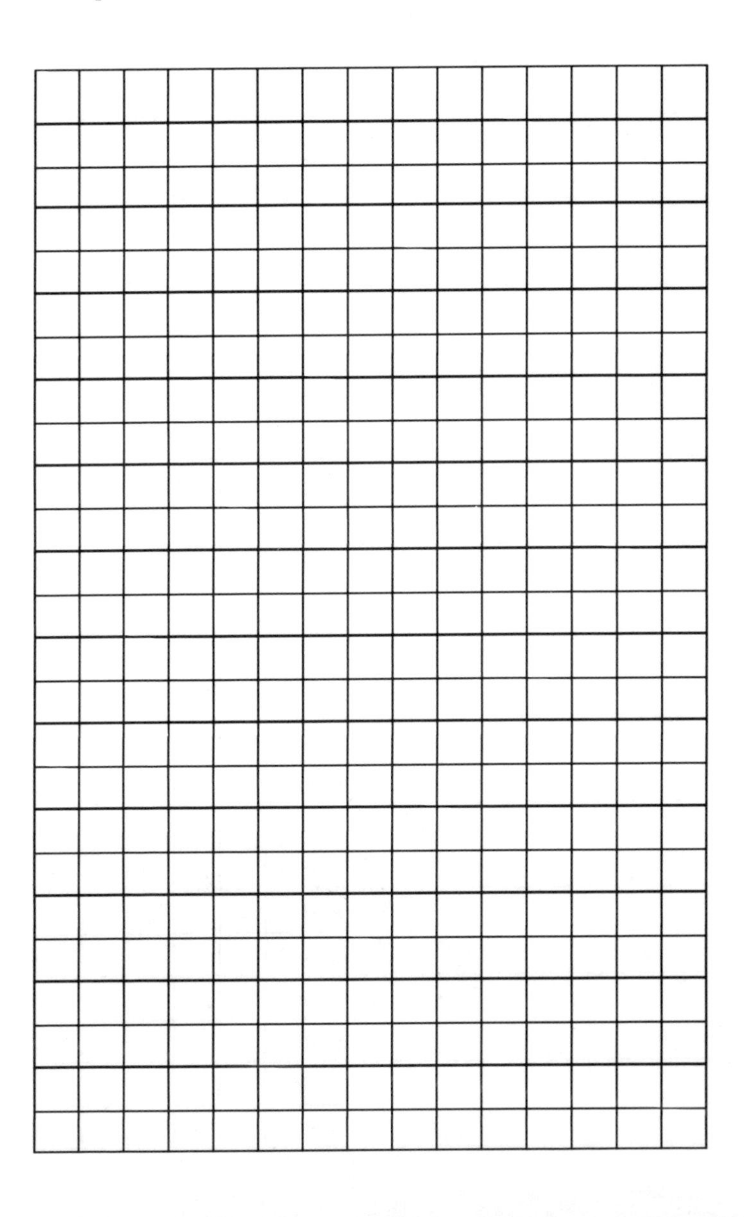

Votre fiche d'entraînement

N.B. S = série; R = répétition

Exercice	Date					
	Poids					
	S/R					
	Poids					
	S/R					
	Poids					
	S/R					
	Poids					
	S/R					
	Poids					
	S/R					
	Poids					
	S/R					
	Poids					
	S/R					
	Poids					
	S/R					
	Poids					
	S/R					
	Poids					
	S/R					
	Poids					
	S/R					
	Poids					
	S/R					

Appareils Hydra: si vous utilisez les appareils Hydra, notez le rapport travail-repos à côté du nom de l'exercice; inscrivez les divers réglages dans l'espace réservé aux poids.

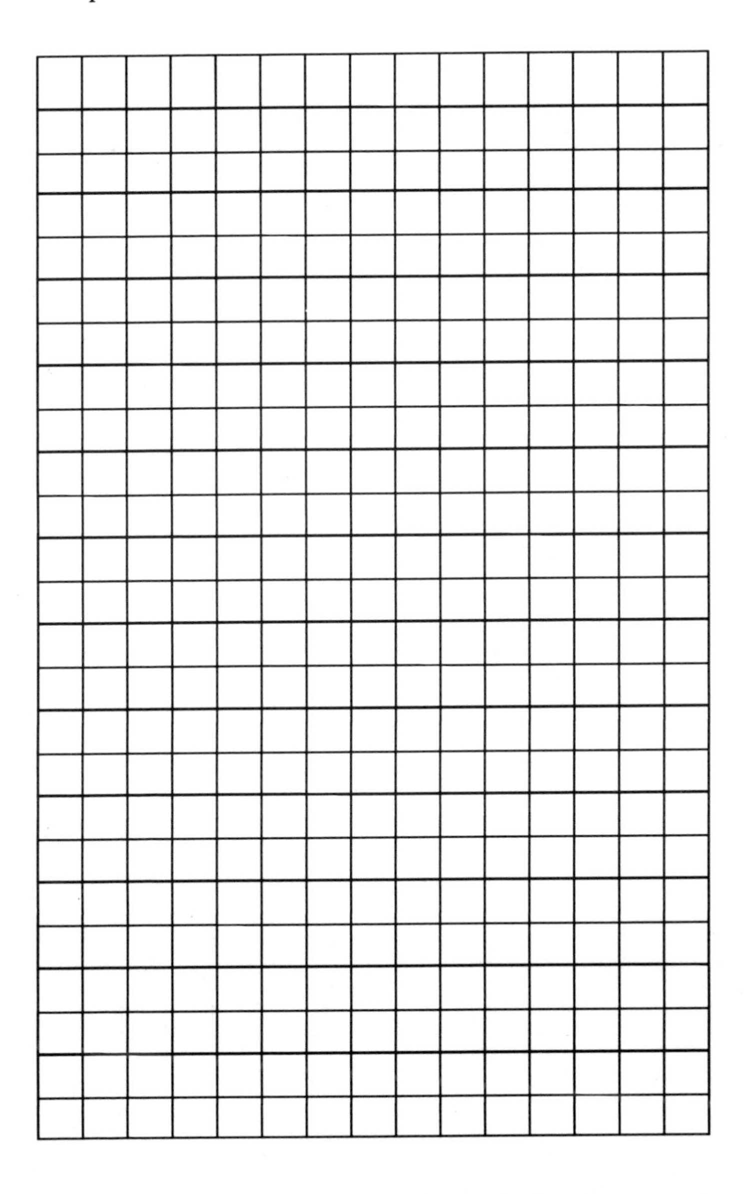

Votre fiche d'entraînement

N.B. S = série; R = répétition

Exercice	Date					
	Poids					
	S/R					
	Poids					
	S/R					
	Poids					
	S/R					
	Poids					
	S/R					
	Poids					
	S/R					
	Poids					
	S/R					
	Poids					
	S/R					
	Poids					
	S/R					
	Poids					
	S/R					
	Poids					
	S/R					
	Poids					
	S/R					
	Poids					
	S/R					

Appareils Hydra: si vous utilisez les appareils Hydra, notez le rapport travail-repos à côté du nom de l'exercice; inscrivez les divers réglages dans l'espace réservé aux poids.

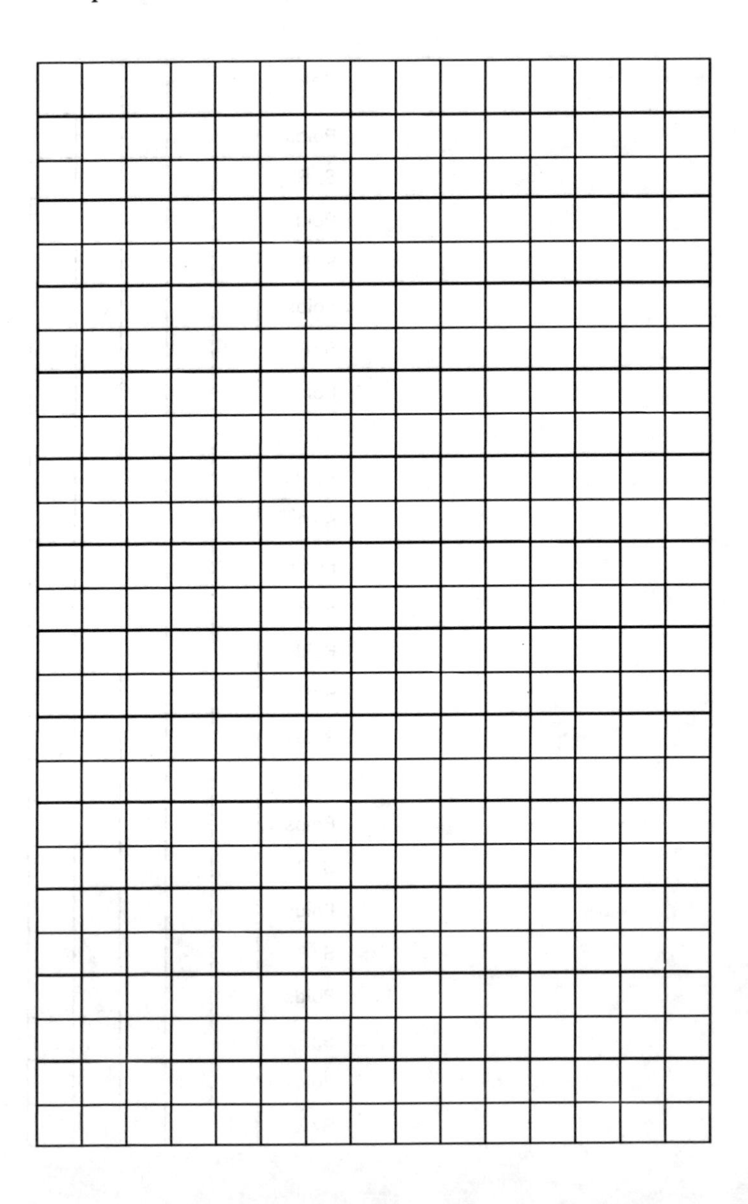

Votre fiche d'entraînement

N.B. S = série; R = répétition

Exercice	Date					
	Poids					
	S/R					
	Poids					
	S/R					
	Poids					
	S/R					
	Poids					
	S/R					
	Poids					
	S/R					
	Poids					
	S/R					
	Poids					
	S/R					
	Poids					
	S/R					
	Poids					
	S/R					
	Poids					
	S/R					
	Poids					
	S/R					

Appareils Hydra: si vous utilisez les appareils Hydra, notez le rapport travail-repos à côté du nom de l'exercice; inscrivez les divers réglages dans l'espace réservé aux poids.

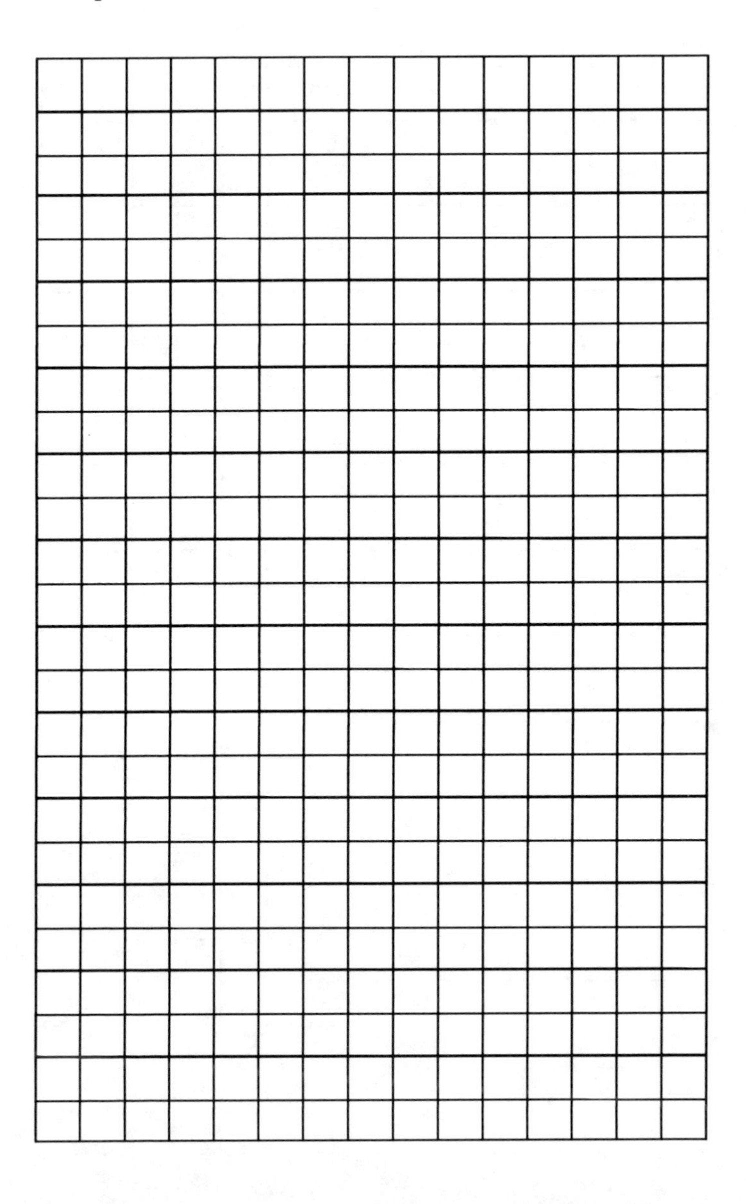

Votre fiche d'entraînement

N.B. S = série; R = répétition

Exercice	Date					
	Poids					
	S/R					
	Poids					
	S/R					
	Poids					
	S/R					
	Poids					
	S/R					
	Poids					
	S/R					
	Poids					
	S/R					
	Poids					
	S/R					
	Poids					
	S/R					
	Poids					
	S/R					
	Poids					
	S/R					
	Poids					
	S/R					

Appareils Hydra: si vous utilisez les appareils Hydra, notez le rapport travail-repos à côté du nom de l'exercice; inscrivez les divers réglages dans l'espace réservé aux poids.

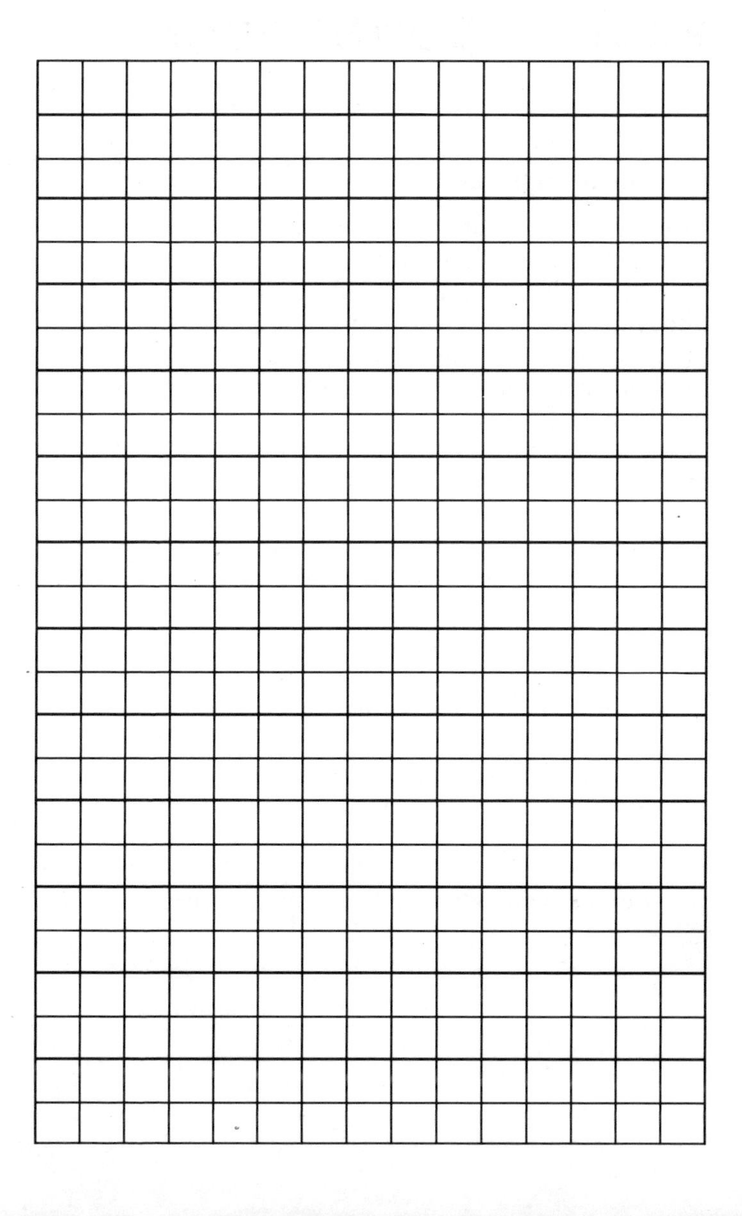

CHAPITRE 4

AUTRES CONSEILS POUR LA BONNE FORME

Les congés imprévus

Vous souhaitez pratiquer votre activité physique régulièrement; et la régularité assure le succès des programmes présentés dans ce guide. Néanmoins, il arrive à tout le monde, pour une raison ou pour une autre, de manquer un jour ou deux. Ou même plusieurs. Cette situation est normale: l'activité physique ne nous attire pas également tous les jours.

Au niveau du conditionnement physique, ces congés imprévus n'ont pas de conséquences graves. Mais, sur le plan psychologique, une interruption de quelques jours peut laisser une impression d'échec; soit qu'on en exagère l'importance, soit qu'elle donne envie d'abandonner.

Pourquoi vous inquiéter? L'activité physique, comme toute activité humaine, connaît des hauts et des bas et ne laissera pas de place au découragement si vous persévérez.

En fait, vous êtes sur la bonne voie. Un congé plus ou moins prolongé interrompra momentanément votre progression, mais vous la reprendrez facilement. Si vous retournez un jour ou deux en arrière, dans votre programme, vous y reviendrez sans douleur.

Les soins des pieds

Si vous avez développé des ampoules, des cors aux pieds ou même des ongles noirs, voici comment les soigner.

Ne crevez pas une ampoule: elle guérit normalement toute seule. Lorsqu'une ampoule crève, désinfectez-la et couvrez-la d'oxyde de zinc et d'un pansement. Et poursuivez votre activité si vous n'avez pas trop mal. Oubliez les cors s'ils ne sont pas douloureux. Mais si vous souffrez, ne les coupez pas: utilisez une crème adoucissante pour la peau, et voyez votre médecin. Les ongles noirs sont généralement causés par des souliers trop courts — ou par des ongles trop longs. Assurez-vous que vos chaussures sont bien ajustées sur le cou-de-pied et taillez vos ongles régulièrement.

La plupart des problèmes des pieds sont causés par des chaussures inadéquates.

En cas de blessure

En suivant fidèlement le programme EXPRES, vous minimiserez les risques de malaise ou de blessure. Cependant, personne n'est totalement à l'abri des entorses ou des foulures. Si jamais vous avez de tels problèmes, suspendez immédiatement vos exercices. Voyez votre médecin si en éprouvez le besoin. Soignez les entorses, les foulures et la plupart des malaises légers par la formule C+G+E+R (compression, glace, élévation, repos).

1. Compression

Une pression directe sur la blessure limite l'enflure et réduit la circulation du sang. Un pansement élastique posé directement sur la blessure doit être suffisamment serré, mais pas au point de bloquer la circulation. Si les doigts ou les orteils s'engourdissent ou blanchissent, c'est que le pansement est trop serré.

2. Glace

Appliquez de la glace aussitôt possible sur la blessure pendant 5 à 10 minutes; vous réduirez l'enflure qui se produit généralement après l'accident. Placez directement sur le pansement, mais jamais sur la peau nue, la serviette ou le sac de plastique contenant la glace. Répétez l'application plusieurs fois par jour, pendant quelques jours.

3. Élévation

L'élévation du membre blessé réduit l'hémorragie interne. Elle est plus efficace si le membre blessé est maintenu plus haut que le coeur. Mais une élévation modérée (poser la cheville blessée sur un oreiller, par exemple) peut suffire.

4. Repos

Le repos pendant les 2 ou 3 jours suivant la blessure aide les tissus abîmés à guérir sans complication. Essentiellement, il s'agit de restreindre le mouvement — soit en minimisant l'usage du membre blessé, soit en l'immobilisant au moyen de pansements, de bandes ou d'éclisses.

Ne reprenez votre programme d'exercices que lorsque la douleur a complètement disparu. Si vous consultez votre médecin, suivez ses directives et revenez graduellement à l'activité physique.

Mieux manger pour être en forme

Pour fonctionner, le corps humain a besoin d'énergie alimentaire. Les principes de nutrition qui suivent sont valables pour tous. Mais ils sont encore plus importants pour les gens qui font de l'activité physique.

La diversité

Pour bien vous nourrir, assurez-vous que vous consommez tous les jours des aliments de ces quatre groupes:

1. Les produits laitiers — lait, fromage, yogourt, crème glacée, etc.
2. Les viandes — boeuf, poulet, poisson — et autres sources de protéines (haricots cuits, noix, beurre d'arachides, oeufs).
3. Les céréales — pains et céréales enrichis et de grains entiers.
4. Les fruits, légumes et jus.

Prenez chaque jour deux portions d'aliments des groupes 1 et 2. Et quatre portions des groupes 3 et 4.

Les glucides

Les glucides sont la meilleure source d'énergie pour l'activité physique. Consommez-les dans le pain et les céréales, enrichis et à grains entiers, dans les pâtes ainsi que dans les fruits et les légumes, plutôt que dans les aliments sucrés.

Les graisses

Moins vous consommez d'aliments gras, plus vous aiderez votre organisme à réduire l'accumulation de cholestérol dans les artères. Consommez des viandes maigres et du lait partiellement ou entièrement écrémé. Remplacez les fritures par des aliments grillés, pochés ou cuits au four.

Les protéines

On dit souvent que les gens actifs ont besoin d'un surplus de protéines présentes dans les viandes, les oeufs, les fromages et les noix. Mais nous consommons généralement toutes les protéines (sinon plus) qu'il nous faut.

Les suppléments

Si votre alimentation est équilibrée, vous n'avez pas besoin de vitamines ni de suppléments minéraux (comme le sel). La plupart des adeptes de l'exercice consomment plus de sel qu'il n'en évacuent par la transpiration.

La digestion

Comptez 2 ou 3 heures après un repas — ou 1 heure après un repas léger ou le goûter — avant d'entreprendre une séance d'activité physique.